Llouis qui tombe tout seul

Du même auteur

Échecs amoureux et autres niaiseries, Stanké, 2004.
Ça sent la coupe, Stanké, 2004.
Douce moitié, Stanké, 2005.

Matthieu Simard

Llouis qui tombe tout seul

Roman

Stanké
QUEBECOR MEDIA

Catalogage avant publication de Bibliothèque et Archives Canada

Simard, Matthieu

   Llouis qui tombe tout seul

   ISBN-13 : 978-2-7604-1031-2
   ISBN-10 : 2-7604-1031-5

   I. Titre.

PS8637.I42J68 2006   C843'.6   C2006-940886-6
PS9637.I42J68 2006

Infographie et mise en pages : Édiscript
Maquette de la couverture : Losmoz

Remerciements

Les Éditions internationales Alain Stanké reconnaissent l'aide financière du gouvernement du Canada par l'entremise du Programme d'aide au développement de l'industrie de l'édition (PADIÉ) pour ses activités d'édition. Nous remercions le Conseil des Arts du Canada et la Société de développement des entreprises culturelles du Québec (SODEC) du soutien accordé à notre programme de publication. Gouvernement du Québec – Programme de crédit d'impôt pour l'édition de livres – gestion SODEC.

Les Éditions internationales Alain Stanké
7, chemin Bates
Outremont (Québec) H2V 4V7
Tél. : 514 849-5259
Téléc. : 514 396-0440
editions@stanke.com

Dépôt légal – Bibliothèque et Archives nationales du Québec, 2006

ISBN-13 : 978-2-7604-1031-2
ISBN-10 : 2-7604-1031-5

Diffusion au Canada :
Messageries ADP
2315, rue de la Province
Longueuil (Québec) J4G 1G4
Téléphone : 450 640-1234
Sans frais : 1 800 771-3022

Diffusion hors Canada : Interforum

À papa et maman.

01

Bien avant les visions, le retour des monstres et les toutous éventrés, bien avant les étourdissements et ma maladie de bouche, je suis allé au dépanneur. Le dépanneur au coin de la rue, qui vend des bonbons surs à la pêche et le journal de chaque jour, chaque jour. C'était il y a quatre ans et demi.

J'étais entré là comme un homme vide, vidé par le travail, avec l'intention d'acheter des bonbons surs à la pêche pour me féliciter d'avoir survécu à une autre journée au bureau, cruel bureau qui m'écrasait de plus en plus, et chaque jour je me sentais plus aplati que la veille. Même quand il ne se passait rien, c'était dur, dur de traverser le corridor en saluant monsieur Faucher, dur de dîner en écoutant les histoires de confitures maison de Monique, dur de me prosterner devant monsieur Roy, dur d'endurer le sourire béat de Bertrand, dur de répondre aux questions de Mélanie, la grosse stagiaire qui n'en savait pas plus qu'un nouveau-né. Oui,

Mélanie, quand tu appuies sur le bouton, le micro-ondes chauffe ton lunch. Oui, les feuilles pas classées, il faudra bien les classer un jour. Oui, un pied devant l'autre, c'est comme ça qu'on marche.

Chaque matin en arrivant à mon bureau à moi, j'ouvrais le deuxième tiroir à droite, et je préparais ma fin de journée. Il y avait dans le tiroir un réveille-matin, je le réglais pour 17 h. Il y avait aussi un verre vide et une bouteille de Jack Daniels, je remplissais le verre. À 17 h, quand le réveil sonnait, j'ouvrais le tiroir comme on déballe un cadeau, le plus vite possible mais sans rien renverser, et j'éteignais la sonnerie et je faisais disparaître le Jack Daniels au plus profond de moi, et c'était mon bonheur quotidien, le début d'une soirée de petites récompenses, chaque soir.

Bonbons surs, télévision, grosse bouffe pleine de gras, promenade tout nu dans mon salon, n'importe quoi pour me récompenser de pouvoir parler au passé composé d'une autre journée passée à me décomposer. La fin quotidienne d'une autoputréfaction pour des grosses têtes financières que je n'avais jamais vues. J'avais 29 ans, la tête vide et le corps mou, et les aiguilles de ma montre étaient bloquées au présent.

• • •

Ce jour-là, je suis entré dans le dépanneur pour des bonbons, et je suis sorti avec un tremplin, un tapis roulant, un ascenseur et un arcen-ciel. Un tunnel plein de lumière dans le bout. Un avenir.

C'est à cause de Gilles, dont j'ignore le nom. Je l'avais toujours appelé Gilles dans ma tête, et Monsieur dans ses oreilles, le vieil homme qui vivait derrière le comptoir. Il avait les cheveux blancs et les doigts enflés, et pas de sourire. Il prenait toujours mon argent avec ses gros doigts, et quand il me devait des sous noirs, au lieu de me les donner il les mettait dans le petit contenant communautaire, sans même me regarder.

J'avais posé mon sac de bonbons sur le comptoir, il l'avait pris en soufflant un son grognon. J'avais cru qu'il me demandait si je voulais un gratteux avec ça.

– Oui, pourquoi pas, que j'ai dit.
– Oui, quoi?
– Oui, je vais prendre un gratteux.
– Je t'ai rien demandé.
– Mais je pensais que…
– Lequel?

De temps en temps, en revenant de mon travail sur le bord du Styx, j'achetais un gratteux, pour rien. Je n'avais pas besoin d'argent – pas d'un petit montant de gratteux – ni d'un moment d'évasion – la télévision était plus efficace. Mais je l'achetais, quand on me l'offrait ou que la personne devant moi en prenait un. D'habitude je le ramenais chez moi, et plus tard dans la soirée, dans un rien de moment, je grattais énergiquement, en un seul énorme mouvement dément, jusqu'à ce que j'aie la meilleure chance la prochaine fois. Ou le billet gratuit, ou le 4 $, et alors là, c'était la fête jusqu'au lendemain, je dansais comme un fou, en plein milieu des quatre murs, en espérant que les voisins me voient par la fenêtre et soient jaloux de mon bonheur. Parce qu'il faut toujours que quelqu'un soit jaloux de notre bonheur, sinon ça sert à quoi d'être heureux?

J'ai acheté un Gagnant à vie, parce que je me suis souvenu de ma jalousie quand j'avais vu la madame contente dans l'annonce à la télé. Puis j'ai pris un sou noir dans le contenant communautaire, pour gratter tout de suite, et Gilles m'a regardé de travers.

– Je vais le ramener.

Ça aurait été long de rentrer chez moi, de gratter et de rapporter le sou, alors je me suis installé plus loin sur le comptoir, et j'ai gratté énergiquement, en un seul énorme mouvement dément, et j'ai gagné. Mille dollars par semaine. À vie.

Je ne savais pas comment on devait réagir dans ces cas-là.

– As-tu fini avec la cenne?
– Quoi?
– Tu m'as volé une cenne…
– Oh. S'cusez.

Je lui ai tendu le sou noir, le visage rouge et les yeux pétillants. C'était la première fois que je gagnais quoi que ce soit, à part ma vie et quelques billets gratuits, et quelques 4 $. La première fois de ma vie que je gagnais quelque chose de gros. Et je le gagnais à vie.

Pendant les premières minutes, au lieu de réagir, je me suis contenté de me demander comment je devais réagir, en regardant autour. Je savais qu'il fallait que je sois heureux, mais devais-je crier? Sauter le plus haut possible? Embrasser un inconnu? Appeler Maman? Ça m'énervait un peu. J'ai appelé Maman, du téléphone public situé près de l'entrée. Elle m'a dit qu'il fallait que je sois content, mais pas trop, parce qu'on ne sait pas qui est autour, et qu'ils pourraient vouloir me voler mon billet gagnant. J'ai dit merci Maman et j'ai raccroché. Moi et Maman on ne s'est jamais beaucoup parlé, une fois par année au plus, quelques mots brefs jamais plus. Et jamais très personnels.

Je suis rentré chez moi en faisant attention de n'être qu'un peu content et en surveillant les voleurs qu'il n'y avait pas. Chez moi, au milieu de mes quatre murs, sur le petit tapis du grand gagnant, j'ai compris que j'avais bu le dernier verre de Jack Daniels de l'histoire de mon deuxième tiroir.

Finies les longues journées qui durent des mois, devant un vieil ordinateur à l'écran embrouillé, sur la chaise inconfortable qui roule en grinçant, à faire semblant de travailler en jouant au solitaire avec des yeux sérieux et une posture préoccupée. Finis les collègues cornus et les réunions mielleuses qui collent à la peau et qui font sentir sale parce qu'il ne s'y dit rien, plus ça dure longtemps plus il ne s'y dit rien. Finies les rivières de lave qui débordent jusque sous mes ongles, dossiers de l'enfer que personne ne sait gérer, ne veut gérer. Finis les faux sourires.

Fini l'emploi.

Finie la carrière dont je n'ai jamais voulu.

Fini le malheur au quotidien. Les voisins allaient être jaloux, j'allais être heureux, chez moi pour l'éternité, gagnant à vie, condamné à ne plus travailler que si j'en avais envie. Donc, plus jamais.

C'était il y a quatre ans et demi.

02

Le matin, tu mets ton réveil à 7 h, et quand il sonne tu le frappes comme on frappe le museau d'un chien qui vient de manger du gâteau. Il s'éteint, et tu te rendors, mais c'est temporaire, il va se venger, neuf ou dix minutes plus tard, il va se venger en sonnant plus fort, on dirait qu'il sonne toujours plus fort. Et quand il sonne plus fort tu le frappes comme on frappe le fond d'une bouteille de ketchup, et tu te rendors. Mais c'est temporaire. Il va toujours resonner, jusqu'à ce que tu te lèves.

Pendant des semaines, j'ai fait ça, tous les matins du lundi au vendredi. Pendant des heures je frappais mon réveil toutes les neuf minutes, parce que c'est tellement plus agréable de pouvoir dormir quand on est conscient qu'on dort. Et pour ça, il faut se réveiller et se rendormir, et rire de tous ceux qui doivent se lever et aller travailler. Tous ceux qui n'ont pas gagné à la loterie.

...

Au début, dès le jour où j'ai gratté et gagné, j'ai choisi de ne plus exister pour personne d'autre que moi.

J'ai remis ma démission sans le dire à qui que ce soit, sans lettre sans mot sans parole sans présence. J'ai cessé de me rendre au bureau, du jour au lendemain, et je n'ai jamais répondu au téléphone qui sonnait. Au bout de quatre jours la police a sonné chez moi et je leur ai dit que je ne voulais plus travailler là, tout simplement, et ils m'ont dit que ce n'était pas une très bonne façon de démissionner si je voulais une lettre de recommandation, et je leur ai répondu que je n'en voulais pas et ils m'ont dit bonne journée et je ne sais plus si j'ai dit bonne journée ou si j'ai seulement fait un geste de la tête.

C'était un beau mois, le premier. Il faisait frais dans mon chez-moi, et je pouvais y rester, loin des gens et des responsabilités et de la pluie et des bonjours forcés.

Au début, je me suis englouti sous mes couvertures, loin de tout et près du vide, avec un sourire plus grand que ma bouche. Loin des gens et près de mon petit univers juste à moi, avec son écran, ses coussins, sa chaleur enveloppante même quand il fait froid. Et aucune obligation de participer à une conversation qui ne m'intéresse pas en ayant l'air d'y comprendre quoi que ce soit.

...

Au début, j'ai choisi de ne plus exister pour personne d'autre que moi. Je me suis isolé, volontairement tout plein de bonheur. Je sortais seulement pour l'épicerie et les achats de loisirs, l'alcool et les films, et les jeux vidéo et l'équipement informatique. La musique. Les bonbons.

Plus aucun dialogue, juste le monologue de la télé. J'étais le plus heureux des hommes, dans mon petit monde de gagnant à vie, et quand je pensais à l'extérieur je me souvenais à quel point il m'avait dégoûté, à quel point je ne voulais pas y aller. Plus jamais, je me disais.

03

En quatre ans, il ne s'est rien passé, sauf les années.

. . .

La première année tout était volontaire, tout était spontané et naturel. Le bonheur de savoir que les autres, s'ils me voyaient, seraient jaloux de ce bonheur. Je me suis enfermé et j'ai joui de tout le vide que la vie avait à offrir, tout le rien qui passait à la télé, tout l'inimportant que ma télécommande me permettait de voir.

C'était une belle année. Je sortais de temps à autre, pour des achats. Pas trop d'échanges humains, que des petits bonjours et des mercis, et des réserves de piles pour que la manette survive, et des réserves de nourriture pour que je fasse pareil.

Je me disais qu'au bout de cette année-là, je commencerais à sortir davantage, à voir du monde, à renouer avec les gens ordinaires qui marchent sur les trottoirs près de chez moi, et ceux qui vivent partout et qui s'ennuient peut-être de moi sans savoir que j'existe. À la fin de l'année, que je me disais. Ça serait une bonne chose, que je me disais. Je m'ennuie un peu de l'extérieur, que je me disais. Mais pas tout de suite.

Un an d'isolement, ça ne pouvait que faire du bien, que je me disais.

...

La deuxième année, j'ai appris que je pou-vais tout faire avec mon ordinateur. Com-mander, acheter, faire livrer. J'ai cessé de sortir. J'ai tout fait avec la machine, c'était plus rapide. Moins de minutes perdues à ouvrir la porte, à marcher, à dire bonjour et merci. Ça me laissait plus de temps pour caresser ma télécommande. Ça me laissait plus de temps pour ne rien faire.

Cette année-là, tout était moins volontaire, moins calculé. C'était plus fort que moi, cette envie de ne plus sortir. Je n'arrivais pas à lutter contre l'attraction qui m'écrasait sur le sofa et qui exigeait que je regarde la télé. Une partie de moi voulait revoir l'extérieur, à l'occasion, une pulsion inexplicable, un spasme momentané vers la porte, mais ce n'était pas la partie qui contrôlait ma tête. C'était une partie molle, qui n'influençait aucun de mes gestes.

J'aimais la télé, mais parfois, au fond de moi, je me disais que c'était peut-être trop. Puis je me répondais que non. Ce n'est jamais trop.

C'était ça, ma nouvelle vie, c'était ça, mon bonheur que les autres jalouseraient s'ils savaient que j'existais.

L'année suivante, je sortirais. Pas tout de suite. L'année suivante.

...

La troisième année, je ne contrôlais plus rien. Je ne sentais même plus de culpabilité, même plus ce sentiment inconscient que l'extérieur avait peut-être quelque chose à m'offrir. Sans avoir à y penser, je savais qu'il n'y avait rien là-bas, rien d'autre que la laideur, que les insignifiances, que les obligations. Même l'idée de dire bonjour ou merci me répugnait.

J'avais une raison de vivre, et elle avait des boutons avec des chiffres et des flèches, avec des lettres et des symboles. C'était ma main en plus long, c'était ma main tout court. Qui nourrissait mes yeux. Qui nourrissait ma tête. Les films, les téléromans, c'était la vérité.

Je sortirai quand je serai vieux, que je me disais. Je sortirai quand je serai mort.

...

La quatrième année, je me suis mis à avoir des visions. Des gens chez moi, qui me parlaient, des gens dans mon fauteuil, à qui je parlais. Et je parlais vraiment, à voix haute, à mon fauteuil vide en y voyant des gens. La télé n'était plus la vérité. C'étaient les gens dedans qui l'étaient.

Je dormais avec la télécommande, sur le sofa, toutes les nuits.

Je ne savais plus qu'il y avait un extérieur, qu'il y avait autre chose que mon salon. Je voyais la porte d'entrée, et je me demandais où elle menait, comme dans les films de science-fiction. Une porte mystérieuse, une voie vers l'au-delà.

Parfois, quand je me rendais compte qu'il n'y avait personne dans le fauteuil et que je parlais dans le vide, j'avais un éclair de lucidité. Dans ces temps-là je me promettais de franchir la porte, le lendemain. Le lendemain je sortirais, respirer l'air de la planète, explorer ce qui se trouvait de l'autre côté. Le lendemain. Et je me couchais, en me promettant de sortir, le lendemain. Mais le lendemain j'allais mieux, alors j'oubliais de sortir, et je retombais dans mes visions.

Je n'étais plus moi-même.

• • •

En quatre ans, il ne s'est rien passé, sauf les années.

Les années ont passé, puis ont repassé, sans m'avertir qu'elles passaient et repassaient. Un jour, un autre, et en quelques jours ça faisait quatre ans. Comme quand on jouait à la cachette et qu'on comptait jusqu'à mille, mais qu'à vingt on gueulait comme des malades prêt pas prêt j'y vais. Sauf que pour moi c'était l'inverse. J'ai voulu compter jusqu'à vingt, et rendu à mille je comptais encore.

J'avais prévu, au départ, m'enfermer un peu, le temps de récupérer. Redevenir moi-même hors du bureau, profiter de l'argent gratuit chaque semaine, retomber sur mes pieds en quelques semaines. Et après, j'étais supposé recommencer à voir du monde, ressortir, revoir l'extérieur et ravoir une vie.

Mais la solitude, on y prend goût.

J'ai traîné chez moi un peu, puis beaucoup, jusqu'à ne plus comprendre le temps qui passe, jusqu'à ne plus être moi-même. Il y a eu des hivers, je le sais parce qu'il faisait plus froid chez moi, et qu'il y avait de la neige sur le bord de la fenêtre, et de la saleté dans la vitre, et que le soleil se couchait de plus en plus tôt. Et des étés, je le savais parce que c'était l'inverse. Puis les saisons se sont fondues les unes aux autres.

J'étais rendu dans une caverne et dehors c'était la tempête. J'étais bien, au chaud et au doux, dans des couvertures achetées sur un site Web quelconque.

• • •

Au début, c'était une belle vie, ma vie à moi-même. Juste moi et les téléromans, et les nouvelles, et les films, des milliers de films qui me montraient l'amitié et l'amour et l'action et le bonheur et le drame. Les films finissent bien, j'aimais ça.

À la fin, c'était la vie de quelqu'un d'autre. J'étais dans un film, et je ne savais pas s'il allait bien finir.

...

Les gens que j'avais connus n'existaient plus, le téléphone était mort, pendu par son fil à la poutre qui tenait le toit sous la tempête.

...

Il y avait la télévision.

...

Mais il n'y avait personne.

...

C'était mélangeant. Ma tête a préféré oublier.

...

Viens plus près, c'est ce que je lui disais, viens plus près et je tendais la main. Je m'en souviens, je tendais la main et elle avançait vers moi les mains dans les poches. Elle avançait et je l'invitais à s'asseoir dans le fauteuil, et je lui racontais ma vie, avec plein d'inventions pour me rendre intéressant, avec de l'aventure et des cascades et même des choses qui se passaient dehors. Elle m'écoutait sans rien dire, et moi je ne m'écoutais pas, j'étais trop occupé à parler, sans arrêt, sans pause, sans respirer. Déballer tous les mots de mon vocabulaire dans un ordre approximatif, emboutis les uns sur les autres, engloutis dans la salive.

Je parlais à mon fauteuil, et quand je m'en rendais compte, j'essayais de m'endormir en me promettant de sortir le lendemain, prendre l'air respirer la réalité parler à des gens qui existaient. Je me disais qu'en parlant à des gens qui existaient j'arrêterais de parler à des gens qui n'existaient pas. C'étaient mes éclairs de lucidité.

Le lendemain je me réveillais et j'étais mieux dans mon vide à moi, et j'oubliais de sortir, et le soir ça recommençait, je reparlais à des gens qui n'étaient pas là. Alors j'allais me coucher. Toute une année comme ça, la quatrième, à m'endormir après avoir regardé la télé pendant des heures, quand je me mettais à m'imaginer que la télé vivait dans mon salon, avec ses personnages en chair devant moi et je les touchais. Quand je touchais le rien j'allais me coucher.

Je n'étais pas malheureux, juste isolé. J'étais même très heureux, mais dans mon univers à moi, que je ne comprenais pas.

Je voulais sortir, mais je ne voulais pas sortir. Je savais ce qu'il y avait dehors, mais je n'en avais aucune idée. J'étais heureux, mais j'avais mal. C'était un tourbillon immobile, avec une télécommande qui s'était fondue à ma main pour l'éternité.

04

Le téléphone avait sonné vide ce matin-là, son dernier souffle au bout de sa corde. Ça m'avait réveillé en plein milieu d'un rêve où je me noyais tout en perdant mes dents – joyeux. Quelques secondes après avoir ouvert les yeux, j'ai recommencé à respirer. Il n'y avait pas d'eau partout autour. J'ai nagé dans l'air jusqu'à la chambre et j'ai décroché le téléphone qui pendait en plein milieu et qui balançait son désespoir pour m'hypnotiser, et il n'y avait personne au bout du fil, juste le silence qui ne faisait pas de bruit.

– Allô ?

–

– Aaaallô ?

–

Au lieu de raccrocher, j'ai laissé le combiné pendre dans le vide, en me demandant si le fil en tire-bouchon allait s'étirer assez au cours de la journée pour que le combiné finisse par toucher à terre. Loisir, loisir.

Je me suis tiré une chaise, et j'ai regardé le combiné pendre pendant une heure ou deux, et j'ai eu faim. Le vide où pendre, ça creuse. Dans le frigo plein de bouffe virtuelle commandée sur le site Web d'une épicerie existant pour vrai, j'ai glissé ma main jusqu'au fromage doux-doux-extra-doux qui ne goûte rien. Je m'en suis coupé un coin.

À partir de ce coin de fromage, tout est flou sans arêtes sans image sans mémoire et sans lumière. Je ne me souviens pas des détails, juste de l'effroi. Je me suis assis sur le sofa, devant la télé, pour manger le fromage qui ne goûte rien, et j'ai mis machinalement la main sur le coussin, là où la télécommande dormait toujours, mais rien.

L'absence cathodique.

Le rien 36 pouces.

Le silence des haut-parleurs petits faiseurs.

L'histoire des téléromans qui s'immobilisait en plein suspense.

La trame sonore qui devenait une trame dolore.

J'avais mal. C'était une déchirure au niveau de mon pouce droit. Qui allait jusqu'au cœur. De mon cerveau.

. . .

La télécommande avait disparu, perdue nulle part dans le néant de n'importe où.

. . .

Je ne l'ai jamais retrouvée. J'ai cherché partout, comme un fou détraqué paniqué, partout, sous les coussins et sous le frigo, et partout ailleurs. J'ai éventré mes toutous, comme dans les films. J'ai ouvert tous les tiroirs, toutes les armoires. J'ai rampé sous les tables, même les plus basses, j'ai escaladé une chaise de cuisine pour explorer le dessus du grand meuble du salon. La saleté qu'il y avait là, épaisse comme ça, mais c'était tout.

J'ai fait le tour des poubelles. J'ai regardé dans la laveuse et dans la sécheuse, et dans le lave-vaisselle et dans le four. J'ai même ouvert le mur à quelques endroits, j'ai tâté la mousse isolante.

Rien.

Je l'avais perdue. Perdue à perpétuité. Elle avait dû glisser dans les craques de la vie qui s'empoussière, dans la fissure qu'il y avait en plein milieu de mon quotidien depuis quatre ans.

— Anne, ma sœur Anne, ne vois-tu rien venir ?

— Je ne vois que le soleil qui poudroie et l'herbe qui verdoie.

— Pis la télécommande, tu l'aurais pas vue ?

J'avais perdu la télécommande. Pire, je parlais dans le vide : je n'avais même pas de sœur.

En plus, à l'intérieur, le soleil ne poudroyait pas tant que ça.

. . .

29

Les premières minutes, c'est le déni qui m'a enveloppé. J'ai essayé de faire comme si de rien n'était. J'ai essayé de simuler, comme pour me convaincre que rien n'avait changé. Comme pour me convaincre que ce n'était pas un drame. Je regardais l'écran éteint, et je tentais de m'amuser autant, de vivre autant. Je riais, je fronçais les sourcils, je répondais à des questions de *Jeopardy* que j'imaginais.

Qu'est-ce que l'Arizona.

Qu'est-ce qu'une crémaillère.

Qu'est-ce que Mrs. Doubtfire.

J'étais meilleur que d'habitude, mais ce n'était pas suffisant.

Pas suffisant. Il me fallait autre chose. Plus. Une image, une nouvelle image, autre chose à regarder. J'ai enfilé mes pantalons propres et mon chandail bleu, et je suis sorti dehors, pour la première fois en quatre ans.

. . .

Quand on a la rétine collée sur un drame, on ne peut pas en voir l'ampleur. J'étais sorti comme ça, en une seconde, comme si c'était la seule chose à faire, comme si tout allait bien se passer.

C'était un réflexe, un geste, une pulsion, un spasme, c'était l'inconscient qui me contrôlait, le besoin de voir ailleurs, autre chose ailleurs. S'il n'y avait plus rien ici, voir ailleurs. J'étais sorti sans réfléchir, sans me poser de question, comme si dehors il y avait un remède miracle au drame qui m'avait secoué, une pilule qui guérirait tout, une télévision allumée qui m'attendait.

· · ·

La première bouchée d'air, je l'ai avalée de travers. C'était plus frais et plus pur et plus vrai que tout ce que j'avais respiré depuis quatre ans.

05

La première bouchée d'air, je l'ai avalée de travers. C'était plus frais et plus pur et plus vrai que tout ce que j'avais respiré depuis quatre ans.

J'étais perdu, complètement perdu, il n'y avait pas de télévision qui m'attendait à l'extérieur, j'étais perdu mais j'ai voulu donner l'impression que je ne l'étais pas. J'ai voulu faire comme si tout était normal, me mêler au monde extérieur comme si je lui appartenais.

Et j'ai voulu en faire trop, trop vite. J'ai voulu tout voir tout toucher tout dire d'un seul coup, comme pour rattraper le temps perdu. Sauter sur tout le monde de partout et courir comme un fou dans le gazon des voisins. Envelopper la planète avec mes bras et redécouvrir toute cette vie dont j'avais oublié les battements. Dire bonjour au monsieur qui passe là devant, dire au revoir au monsieur qui est passé là devant. Flatter le chien du gars qui promène son chien. Toucher tout, les textures et les chaleurs. Respirer les parfums même les mauvais. Me lancer dans les bras de tous les êtres humains.

C'était un peu trop. J'ai commencé par m'accrocher le pied gauche dans une craque du trottoir, par faire quelques pas de travers pour retrouver l'équilibre, par mettre une main sur une voiture stationnée, par déclencher l'alarme de la voiture. Ça m'apprendra à vouloir tout faire sans me concentrer sur mes pas. Le reste de la journée, je me suis appliqué à regarder mes pieds pour être certain qu'ils suivaient ma tête.

C'était le début du début de ma nouvelle existence. J'avais oublié comment c'était d'être quelqu'un, quelqu'un qui habite dans une ville avec d'autres personnes qui habitent là aussi.

J'étais de nouveau moi-même, que j'ai pensé. Et j'étais prêt à redécouvrir le monde, sans télévision sans scénario.

· · ·

Le monde, ça manque de musique de fond. Et de maquillage. Mais à part ça, c'est très agréable.

· · ·

J'ai regardé mes pieds marcher jusqu'au coin de la rue, et une fois arrêté j'ai levé la tête, et j'ai vu que le petit resto où je mangeais des hot-dogs de temps en temps était devenu un magasin où tout se vend à un dollar, et parfois plus.

J'ai dû passer une heure complète immobile au coin de la rue, à regarder ce monde que je ne comprenais plus, à regarder les gens circuler, à pied, dans l'autobus, dans leur voiture. Les gens qui passaient n'étaient plus comme avant. Ils ne parlaient plus comme avant, ils ne bougeaient plus comme avant.

C'était un tourbillon de pensées mélangées et d'observations effrayées, et je voyais bien que le monde extérieur n'était plus le même. Il ne me laissait plus indifférent, ce n'était plus le même monde que j'avais voulu fuir. Celui-ci m'intriguait un peu, m'angoissait beaucoup. Il n'était plus fade comme avant, il n'était plus en dessous de moi. Il n'était plus simple et ennuyant et sous mon contrôle, et les gens dedans me ressemblaient moins qu'avant. Ils me regardaient d'un drôle d'air, comme si j'étais un personnage de film d'extraterrestres. Chaque fois que leurs yeux se posaient sur moi au coin de la rue, je sentais ces gens m'écraser davantage. J'étais petit.

Il était devenu écrasant, le monde, et il voulait me regarder, me dévisager, et il bougeait trop vite. C'était étourdissant. C'était un manège plein de couleurs plein de sons, qui tourne qui fait peur mais dans lequel on veut monter à tout prix, faire la file pour avoir sa place, faire partie de tout ça, être une couleur, être un son. Je voulais en faire partie. Il fallait que j'en fasse partie.

. . .

35

Une heure. C'est tout ce dont j'avais eu besoin pour me convaincre que je voulais me replonger au complet dans la vie humaine, pour de bon, la vie humaine avec ses interactions et ses liens, avec ses scénarios pas encore écrits et son volume immuable, la vie humaine comme avant. Toutes ces choses qui me manquaient maintenant, que j'avais oubliées. Le monde avec pas d'annonces. Le monde avec pas de rebondissements. Le monde qui ne se termine pas au bout de deux heures.

Mais je ne comprenais pas ce monde-ci. Il avait trop changé.

Je devais apprendre. Je devais me fondre. Il fallait que je ne sois personne, pour me fondre il fallait que je ressemble aux gens ordinaires de ce monde-là, que je sois ordinaire moi-même dans ce nouvel univers, que je rencontre des gens ordinaires. Des personnes qui ne sont personne, et je passerais du temps avec eux, et je passerais inaperçu et je serais une couleur et un son comme tous les passagers dans le manège.

Il me fallait des amis ordinaires. Des amis comme ceux de tout le monde. Des amis à qui il n'arrive rien d'intéressant, pour qu'il ne m'arrive rien d'intéressant avec eux. Je voulais des vrais amis ordinaires pour vivre en pleine vérité réalité sans caméra. Pour me mêler à cette vie que je ne comprenais pas. Des amis.

. . .

Je suis entré dans le magasin pour voir s'ils vendaient toujours des hot-dogs, même si ce n'était plus un restaurant, et aussi pour me faire des amis. Le monsieur derrière sa caisse il m'a dit bonjour sans ouvrir la bouche.

– Bonjour, qu'il a dit.

J'en étais sûr dans mes oreilles, je l'avais entendu, mais sa bouche était restée fermée. C'était la première fois que je rencontrais un ventriloque. J'ai répondu bonjour, mais en ouvrant la bouche, et mes genoux tremblaient, je ne savais pas pourquoi.

– Ça va bien? qu'il a demandé en ventriloquant toujours.

– Oui, que j'ai dit un peu confus.

Il me regardait la bouche fermée, et un autobus est passé, et je n'ai pas su s'il m'avait dit quelque chose d'autre, à cause du bruit. S'il avait parlé, je ne le savais pas, c'est le problème avec les ventriloques dans les milieux bruyants. Je ne voulais pas être impoli, alors j'ai dit oui, au cas où. Il a souri en prenant un objet sous son comptoir.

– J'aime ça les clients comme toi, qui savent ce qu'ils veulent. Voici. C'est le meilleur que j'ai, qu'il a dit, toujours sans ouvrir la bouche, et moi je croyais que c'était une marionnette qu'il allait me montrer, mais non.

Dans sa main qui me pointait, il tenait une vidéocassette, et en m'approchant j'ai vu de quoi il s'agissait. C'était un film érotique vietnamien des années quatre-vingt.

J'aurais voulu lui dire calmement au monsieur que ça ne m'intéressait pas, mais j'ai eu peur de l'insulter parce que j'avais dit oui et dans mon cœur il y avait beaucoup trop de battements et j'ai eu le vertige comme si j'étais en haut d'un pont suspendu par les tripes. Ma bouche s'est ouverte et ma tête a parlé sans réfléchir.

— Ça doit être pratique pour la mauvaise haleine.

— Pardon?

— Les lèvres, vos lèvres, c'est bon pour l'haleine.

— De quoi tu parles? Tu le prends-tu le film?

— Votre triloquie, ça sent bon, non?

Il ne me comprenait pas, pas plus que moi-même, et je me suis sauvé au fond du magasin pour réfléchir dans mon coin, au fond d'une allée.

J'étais confus. J'avais un problème avec mes phrases. Dans ma tête je savais ce que je voulais dire, mais les mots dans ma bouche se mélangeaient et sortaient comme au Boggle.

C'est à cause de ma bouche. J'ai une maladie dans la bouche.

• • •

Je me suis assis par terre, pour reprendre mes esprits échappés. En haut de ma tête il y avait un miroir convexe dans lequel je voyais la figure déformée de mon pornographe sans marionnette. Il avait dû l'installer là pour moi, le miroir, pour que je puisse m'assurer que personne ne venait me rejoindre. C'était gentil.

• • •

J'ai respiré un peu, assis par terre, et j'ai compris que c'était inespéré. La première personne avec qui j'échangeais était un gars inintéressant qui vendait clandestinement des films asiatico-érotiques. Un gars que personne ne reconnaîtrait dans la rue ou sur un portrait-robot, un gars comme tous les autres gars qui ne ressemblent à rien, physiquement il ne ressemblait à rien. Un ami.

Il était comme tout le monde, encore plus banal que tout le monde. Il se fondait dans tout, même dans son magasin sans intérêt.

Soudainement, il devenait plein d'intérêt.

Je le regardais interagir, déformé dans le miroir, simplement, froidement, avec les clients qui entraient et sortaient, et j'observais ces clients, déformés eux aussi, et je savais qu'il était assez ordinaire pour moi. Qu'il pourrait être ma porte d'entrée dans ce nouvel univers. Je m'habituerais à la ventriloquie et au marché noir, que je me suis dit.

J'avais recommencé à respirer régulièrement, et juste devant moi, à la hauteur de mes yeux, une panoplie de tasses attendaient d'être achetées. Des tasses avec des signes du zodiaque, j'ai trouvé ça futé, pour se souvenir quelle tasse appartient à qui, c'est futé. Sauf pour des jumeaux, là ça l'est moins. J'ai pris une Sagittaire et une Verseau, et aussi une grande respiration. Je me suis relevé tant bien que mal, un peu moins tremblant, un peu plus confiant. J'ai pris mes tasses à deux mains et me suis dirigé vers la caisse, en surveillant mes pieds pour qu'ils ne s'emballent pas.

Ventrilo allait être mon ami, je l'ai su tout de suite, dès que je lui ai demandé son nom et qu'il n'a pas répondu parce qu'il regardait une fille en jupe passer dans la rue. S'il avait eu une marionnette il lui aurait fait tomber la mâchoire. La fille avait des belles cuisses sur le bord de sa jupe. Dans ma tête je l'ai appelé Ventrilo, parce que c'était un ventriloque, puis ensuite j'ai pensé que ça sonnait comme un nom de médicament pour les asthmatiques, mais je n'ai rien trouvé de mieux alors je l'ai gardé comme ça.

— Ça te dérange pas ? que je lui ai demandé.

— Quoi ça ? qu'il a répondu de l'intérieur de la gorge.

— Ben… Ton nom.

— Si mon nom me dérange ?

— Oui.

— Non.

On se comprenait déjà mieux. Je lui ai parlé d'asthme pendant qu'il faisait payer une vieille dame (pour moi, toutes les dames sont vieilles, sinon ce sont des filles) qui achetait pour douze dollars de pelotes de laine à un dollar. Je lui ai parlé de hot-dogs et de relish, mais j'ai accroché sur le mot relish trois fois, et il a ri. Au début je trouvais ça agréable de le voir rire, parce que je nous trouvais complices, et j'étais content d'avoir déjà un nouvel ami. Mais il a continué à rire et mes mots s'accrochaient de plus en plus, et il riait de plus en plus et j'essayais de bien prononcer mais la maladie dans ma bouche était plus forte que moi et il me crispait, Ventrilo, il me crispait les poumons.

J'ai cessé de parler. Il a cessé de rire. Mais il a continué de sourire, et je voyais bien qu'il se moquait de moi. Il m'a fait payer mes tasses et m'a montré la porte, comme s'il voulait que je m'en aille, comme s'il n'était pas vraiment content que j'existe, comme s'il ne sentait pas l'amitié, comme s'il était méchant. Et moi, même si c'était mon ami, ce ne l'était plus vraiment, et j'avais envie de m'en aller, de pousser la porte qu'il me pointait, mais j'hésitais.

Un autobus est passé et je ne savais pas s'il m'avait dit quelque chose, alors j'ai dit oui.

– Ben qu'est-ce que t'attends, d'abord ?

Je suis sorti. Il avait l'air fâché. Il voulait que je sorte. Il ne m'aimait pas.

. . .

Ventrilo a été mon ami pendant quatre minutes. Ce n'était pas assez. J'ai compris que ça serait plus difficile que je pensais, mais je ne savais pas pourquoi.

Dès le premier jour, j'ai changé mon objectif. Je ne voulais plus des amis ordinaires. Je voulais un ami ordinaire. Ce serait suffisant.

06

Les salles d'attente me font peur. Il y a des gens malades qui toussent et qui ne savent pas ce qu'ils ont, il y a des gens malades qui souffrent. Quand ils souffrent ils me font peur, et en plus ils me regardent tous comme si j'étais plus malade qu'eux.

J'ai rencontré Barbabarara dans une salle d'attente. C'était la seule qui ne me regardait pas. Elle regardait le plancher, les épaules repliées sur son tout petit corps.

J'étais assis à droite, elle était assise à gauche. Entre nous deux il y avait une rangée de sièges vides et autour, une marée de malades qui me fixaient. C'était le lendemain de ma rencontre et de ma dispute avec Ventrilo, j'étais encore un peu ébranlé. J'avais voulu dormir là-dessus, me laisser porter (conseil) par la nuit, mais je n'avais pas fermé les yeux, parce que mes paupières refusaient de descendre plus bas qu'en haut, accrochées aux sourcils, on aurait dit.

En me retournant sans arrêt dans le lit comme on se retourne dans sa tombe, j'avais réussi à brasser mon cerveau. J'avais trouvé ce qui m'avait le plus dérangé dans mon aventure au magasin. La maladie dans ma bouche. Le reste était acceptable, le reste c'était la vie, des gens méchants il y en a partout. Mais les mots qui tournent sous la langue avant de sortir, et qui sortent étourdis, ce n'était pas normal. Le matin, en ne me réveillant pas, c'était clair, je devais aller à la clinique pour me faire guérir.

À 9 h, j'étais à la clinique sans rendez-vous, parce que c'est exactement ce que j'avais : pas de rendez-vous.

La préposée au comptoir m'a accueilli avec des dents dans le sourire, en me demandant si elle pouvait m'aider.

— Toi non, que j'ai répondu avec mes dents aussi dans mon sourire. Je veux un docteur pour me guérir, que j'ai dit en pointant ma bouche avec mon doigt.

Avec son doigt à elle, elle a pointé la salle d'attente et j'y suis allé. J'attendais assis (je suis bien quand je suis assis) le dos au mur en calculant que vingt-six personnes étaient arrivées avant moi sur les sièges et qu'il se passait quatre minutes entre chaque fois que dans le micro avec de l'écho ils appelaient quelqu'un pour qu'il se fasse guérir. Ça me laissait cent quatre minutes avant que mon nom résonne. C'est beaucoup de minutes quand les gens te regardent comme si tu étais malade, et que toi tu peux juste faire la même chose avec eux. J'ai essayé de lire un dépliant sur le diabète, mais ça ne m'intéressait pas, alors j'ai regardé les gens me regarder.

Puis j'ai vu cette fille, menue sous sa coquille, qui ne me regardait pas, et je l'ai tout de suite trouvée sympathique. Par réflexe je me suis levé de mon siège et me suis rassis sur le siège juste à ma gauche, pour m'approcher d'elle en restant loin. Elle m'a vu du coin de l'œil, je crois, parce qu'elle a souri doucement au plancher, qui lui n'avait rien fait pour attirer son attention.

Une douzaine de minutes plus tard, elle s'est levée et s'est tout de suite rassise sur le siège juste à sa droite, et moi j'ai souri au plancher. À partir de ce moment-là, et pendant des douzaines d'autres minutes, j'ai oublié les gens et leurs regards accrochés à ma maladie, et j'étais seul avec elle et avec les sièges qui nous séparaient. On ne se regardait pas, que du rebord du coin de l'œil, mais c'était comme si on se parlait pendant des heures les yeux dans les yeux comme dans les films mais en plus long et sans musique. Elle avait des beaux yeux dans ma tête, peu importe la couleur ils illuminaient le fond de ma tête. Elle était vraie et elle était dans mon fauteuil dans mon salon et je lui racontais ma vie et c'était tellement rassurant de voir que je n'avais pas envie d'aller me coucher, pas cette fois-ci parce qu'elle était là pour vrai, dans mon fauteuil dans mon salon sur son siège dans la salle d'attente. Et dans sa tête, je l'ai su plus tard, c'était presque la même chose mais en plus petit et en plus sombre, avec des murs tout proches dans son salon à elle, étouffants mais chauds, noirs mais radieux. Il y avait dans son œil des rayons de murs, que je ne voyais pas mais qui s'enfuyaient, je l'ai su plus tard.

Au bout de cent trois minutes on nous a réveillés. C'était la voix de la préposée, déformée par les haut-parleurs usés, pleine d'écho et de vibrations.

– Barbabarara Gergervaivais, sasallalle trtrois.

Elle s'est levée comme si elle venait de gagner à la loterie, s'est dirigée tout droit vers la porte trois, en regardant par terre et en refermant son corps le plus durement possible, pour éloigner tous les autres qui pouvaient lui en vouloir d'avoir été l'élélulue du mimicrocrophone. Quand elle a tourné la poignée de la porte, elle m'a lancé un minuscule regard, plus grand que tous les regards de la télé.

Je n'ai pas eu le temps de me laisser envahir par ce projectile d'yeux, ni par les autres gens dans la salle, la salle qui venait de s'agrandir et qui soudainement ne ressemblait plus du tout à mon salon. On m'a appelé à mon tour. Salle deux.

Je me suis levé, mais pas comme si j'avais gagné à la loterie, parce que ça c'était du passé. Dans la toute petite salle on m'a demandé de m'asseoir sur un lit avec une couverture de papier trop bien bordée et on m'a demandé ce qui n'allait pas et j'ai dit que ma bouche n'allait pas. On m'a répondu qu'un médecin viendrait me voir avec ses outils de médecin et son diplôme et ses connaissances de docteur Ph. D. spécialisé en rien d'autre qu'en couvertures de papier, dans quelques minutes.

En attendant le médecin, pour passer le temps je me suis pesé, mais c'était en kilogrammes alors ça ne voulait rien dire. Puis j'ai fixé le mur, en me disant que si j'avais des yeux à rayons surnaturels de fou malade, je pourrais continuer à regarder Barbabarara du coin de l'œil, dans la salle d'à côté. Mais je n'ai pas des yeux comme ça, même quand je les plisse très très fort, j'ai essayé et je voyais juste le mur en plus horizontal. Ça m'a déçu, j'aurais aimé voir ce qu'elle faisait, de son côté, en attendant.

J'ai donné deux coups sur le mur, avec mon majeur replié, comme si je cognais à une porte sans poignée sans charnière. Au début, il ne s'est rien passé, alors j'ai recogné. Rien passé encore, pendant deux secondes, puis ça a cogné de l'autre côté, tout doucement, le même nombre de coups.

J'ai recogné, elle a recogné.

C'était amusant, la complicité sonore. Au début j'ai eu peur que ça ne soit pas elle, que ça soit une infirmière ou un médecin ou quelqu'un de très étroit qui vit à l'intérieur des murs, mais j'ai arrêté bien vite de penser à ça, parce que c'est quand je pensais que c'était elle qui cognait que ça m'amusait. Il faut toujours penser à ce qui nous plaît, c'est plus plaisant que de penser à ce qui ne nous plaît pas. Maman m'a déjà dit ça.

J'allais recogner, en me disant qu'à l'usure je ferais peut-être un trou, mais le docteur est arrivé, avec son stéthoscope dans le cou pour m'écouter l'intérieur et ses doigts dans les mains pour me palper l'extérieur. Sur le coup, j'aurais préféré continuer à cogner dans le mur, mais je me suis dit que ce n'était pas poli. J'ai flatté la peinture juste un peu, doucement pour un bel au revoir, et je suis retourné m'asseoir sur le lit de papier.

– Qu'est-ce qui ne va pas? Vous avez mal à la bouche?

– Non, j'ai pas mal comme tel. Mais oui, c'est douloureux.

– Euh. OK, on va regarder ça.

Il a commencé à m'écouter l'intérieur de la poitrine avec toute la froideur de son bout de stéthoscope, et moi j'avais envie de lui dire que la bouche c'est pas là, mais moi je n'ai pas de diplôme en corps humain. Puis il m'a palpé l'abdomen, et là je me disais que s'il continuait à descendre je lui en glisserais un mot, sur l'emplacement de la bouche, mais il a cessé sa descente et m'a dit de faire ah.

– Ah.

– Plus longtemps.

– Aaaaaaaah.

Il m'a mis un bâton de popsicle sur la langue, mais il avait déjà mangé tout le popsicle lui-même, ça doit être pour ça qu'il m'a fait attendre. J'ai failli vomir, il l'a mis loin. Il a regardé avec une lumière, et il m'a remercié, je ne sais pas pourquoi. Puis il a pris la température que je ne faisais pas. Puis il a dit que tout était beau, que je n'avais rien, mais que si je continuais à avoir des problèmes avec ma bouche, je devrais revenir le voir.

Je m'étais fait avoir, il ne savait pas de quoi il parlait. Je lui ai demandé de me montrer ses diplômes, et il n'a pas voulu. Charlatan.

Je reviendrai un autre jour, quand il ne sera pas là, que je me suis dit. Je lui ai serré la main, au cas où ma maladie aurait été contagieuse, mais il portait des gants.

Sur le pas de la porte, une vague d'yeux pleins d'écume de rage m'a atteint depuis la salle d'attente. J'ai retenu ma respiration, j'ai eu peur. Tous ces gens frustrés d'attendre, encore plus frustrés de voir que moi j'avais été guéri avant eux, qui me regardaient pas contents. S'ils avaient su. Juste à côté sur la plage avec moi, face à la vague, Barbabarara venait de sortir elle aussi, et elle aussi elle avait figé à la vue des yeux de tout le monde tournés vers elle. Elle tremblait. Elle avait plus peur que moi encore. Peur de cette vague qui allait l'engloutir, comme si elle allait se noyer, comme si elle avait posé sa serviette de plage beaucoup trop près de l'eau et qu'elle était prise dedans, comme si pour jouer elle avait laissé ses pieds s'enfouir dans le sable et qu'ils s'étaient enfouis jusqu'à son cou. Elle tremblait.

J'ai voulu la rassurer, la sortir du sable, courir avec elle loin du rivage, retourner là où on joue à des jeux d'enfant en traçant des lignes par terre, en brassant le sable doux et en creusant des sous-sols de château. Je lui ai tendu la main.

— Viens, on va faire un château.

Elle a pris ma main, a fait oui de la tête et s'est cachée derrière moi. On est sortis de la clinique, et moi je tirais la langue aux gens malades, parce qu'on les avait battus, ensemble on les avait battus, ils ne nous avaient pas noyés.

On s'est assis dans l'escalier devant la bâtisse, et je lui ai demandé son nom, même si je le savais déjà. Avec elle, mes mots à moi semblaient sortir un peu mieux, mais c'était peut-être juste le docteur qui m'avait soigné sans m'en parler.

– Comment tu t'appelles?

– Barbabarara.

– Enchanté.

– Et et t... toi, tt-tu tt-t'ap... t'appe... t'appelles comment?

Barbabarara bégaye, c'est pour ça qu'elle se sent si seule.

Dès sa première phrase, dès ce moment-là, je me suis promis de ne jamais l'interrompre, de ne jamais essayer de finir une phrase pour elle. Je n'étais pas pressé, je voulais l'entendre au complet, je voulais cette chaleur en moi qui tourne quand on prend le temps d'écouter les autres.

– Je m'appelle Llouis, avec deux *l*.

Elle m'a demandé pourquoi les deux *l*, je lui ai dit que je n'avais jamais connu mon père, mais que lui m'avait connu et en avait profité pour me donner deux *l* parce qu'il aimait les Anglais, les Lloyd et les Lleyton et les autres. Elle a souri. Au début, elle était frileuse du visage, avec la crainte de perdre mon temps à cause du temps de ses paroles, avec la crainte que je me moque d'elle. Elle parlait davantage avec ses mains qu'avec sa bouche, souvent pour me dire d'expliquer ce que je disais. Je lui racontais n'importe quoi, surtout des choses que j'avais vues dans des films, parce que c'est plus intéressant que les choses que j'ai vues dans la vraie vie, et petit à petit elle s'est ouverte, d'abord en faisant de plus grands gestes avec ses mains, puis en bougeant aussi ses lèvres.

On a parlé pendant des heures, en regardant l'heure avancer en souriant, en sachant que chaque minute comptait double quand elle parlait, parce que les mots dans sa bouche s'accrochaient dans ses dents. En sachant aussi que chaque minute comptait triple quand c'était moi qui parlais, parce que je devais toujours expliquer ce que je voulais dire – je n'étais pas guéri, finalement. En sachant surtout que le nombre de minutes n'était pas important, parce que les minutes, c'est nous qui choisissons ce qu'on en fait.

Je lui ai raconté Ventrilo et ma maladie de bouche, elle m'a raconté sa vie et sa maladie de cordes vocales, et le charlatan de la clinique qui lui avait dit qu'elle n'avait rien. On a ri des gens à l'intérieur, qui ne se doutaient pas que les docteurs n'avaient pas de diplômes. Elle m'a parlé de solitude, de quand elle est toute seule et qu'il fait beau et qu'elle voudrait manger de la crème glacée avec quelqu'un. Je lui ai répondu que la crème glacée, c'était pas bon pour les cordes vocales de toute façon.

Et les heures ont passé, et sans que personne nous avertisse, c'était la nuit, toute la nuit. Toute la nuit devant la clinique assis dans l'escalier sous les étoiles et la lune et les avions qui volent avec leurs lumières rouges et blanches et bleues. Quand on voyait un avion on faisait un vœu, parce qu'on n'avait pas envie d'attendre une étoile filante.

La lune était rendue derrière le fil électrique au-dessus de la rue, comme si elle était découpée en deux. Un gros gros avion est passé, avec plein plein de lumières, et on n'a même pas eu besoin de se parler, on savait que c'était le temps de faire notre plus gros vœu. On l'a fait.

– C'est quoi ton vœu?

– S-si je.. je te l-le d-dis, il s-se ré… se réalisera pas.

– Les vœux dans les émissions ils se réalisent toujours et on sait toujours c'est quoi, dans la télé ils nous le disent, et ça change rien. Moi je pense que le dire c'est comme dans la télé. Si on le dit pas c'est là que c'est pas beau, pas comme à l'écran, ça finit pas bien. Si c'est comme à l'écran ça finit bien.

Au bout d'une heure, j'ai réussi à exprimer ce que je voulais exprimer. Que pour qu'un vœu se réalise, il faut le dire, parce que je l'ai vu à la télé je suis sûr. C'est si on ne le dit pas, ou pas fort, ou jamais, ou à personne, c'est là qu'il s'évapore et qu'on ne le retrouve jamais et qu'on n'est plus heureux.

Elle m'a cru.

Moi aussi je me suis cru.

On s'est dit notre vœu, et c'était le même. Exactement le même. Les deux on voulait se trouver un ami, juste un. Les deux on voulait sortir de notre boîte de solitude et entrer dans une plus grande boîte avec un ami, quelqu'un de simple et de comme tout le monde avec qui on pourrait vivre des choses amicales comme magasiner de la musique manger au resto et prendre un café en discutant de n'importe quoi, parce que ce n'est pas important, ce qui est important c'est de discuter.

On a trouvé ça drôle d'avoir fait le même vœu. Ça nous a fait rire et on a décidé que c'était un signe. Il était rendu tard très tard et on s'est regardés, et on a fait un pacte. On s'est engagés à aider l'autre à se trouver un ami. En mettant en commun nos ressources et nos idées et nos têtes – on est intelligents – on allait sûre-ment pouvoir se trouver chacun un ami.

07

Mon psy s'appelle Martin. Il y en a qui disent qu'il n'est pas psy, qu'il est boucher. Moi je dis que même s'il vend des pièces de viande dans une épicerie et qu'il y a des taches de sang de bétail sur son tablier, il ne faut pas sauter aux conclusions.

C'est mon psy, je le sais parce qu'il m'écoute sans rien dire, en hochant la tête de temps en temps. Il m'écoute sans rien dire, et il se balance d'une jambe à l'autre, et parfois il se retourne pour cacher l'expression dans son visage, moi je pense que c'est pour mieux réfléchir. Et moi je lui parle, je me confie, je lui raconte mes problèmes. Des fois il oriente la conversation dans une autre direction, en se déplaçant vers les viandes froides, le jambon forêt-noire, tranché finement la plupart du temps. Dans ce temps-là je prends une pause, pour y penser, et je dis autre chose, je lui parle de Maman si je lui parlais de mon père, de ma vie si je lui parlais de la mort, de mes rêves si je lui parlais de mes gestes. J'essaie de lui plaire, en lui disant ce que tout psy veut entendre. L'enfance, les rêves, les peurs. Ce genre de choses que je ne comprends pas trop. Mais lui comprend. Sinon il me le dirait.

Et pour le remercier, à la fin de chaque séance je lui prends quelques côtelettes de porc.

. . .

J'étais entré dans l'épicerie un peu par hasard, c'était au début, quelques jours seulement après ma sortie, quelques jours après avoir rencontré Barbabarara. J'étais désorienté, j'avais mal à l'oreille interne, labyrinthite imaginaire. Chaque pas que je faisais allait exactement là où je n'allais pas. L'étourderie. Là où on garde les petits enfants étourdis.

J'avais vaguement bousculé une dame qui portait un drôle de manteau de fourrure en plein été. J'avais foncé sur elle involontairement, à la suite d'une série de pas de travers, comme quand on danse le tango.

— Voulez-vous danser ? que je lui avais demandé pour m'excuser, en souriant poliment, parce que je suis bien élevé.

J'avais tendu ma main gauche vers la gauche, pour le tango, mais elle m'avait poussé sauvagement, tiens c'est pour ça que je pensais que son manteau était en fourrure. C'était trop pour mon oreille interne, j'ai pivoté sur moi-même une dizaine de fois, ou peut-être juste une fois, et j'ai fait ouvrir la porte automatique de l'épicerie. Et la porte ouverte, je me sentais mal de la laisser se refermer sans m'avoir mangé, toute cette énergie qu'on nous demande de conserver à coups de tonnes, je ne voulais pas gaspiller. Pas en public, en tout cas. Comme tout le monde. (Parce que chez moi, la lumière est allumée tout le temps, parce que le sombre m'intimide.)

Je suis entré dans l'épicerie.

Je n'avais pas faim.

J'ai pris un panier quand même, pour me fondre dans la foule – petite foule, un après-midi d'été. Il faisait chaud, c'est pour ça que je voulais me fondre, mais l'air climatisé était trop fort, et mes mamelons étaient durs. Je poussais mon panier les mains croisées, pour cacher mes mamelons. Je ne fondais pas très bien, les gens me regardaient.

Je n'aime pas quand les gens me regardent. J'aime l'inaperçu. J'aime le camouflage, les vêtements Gap que tout le monde porte, l'air bête que tout le monde porte, tout ce que tout le monde porte pour que personne ne regarde personne. J'aime ça. Je veux être tout le monde, pour que personne ne remarque que j'existe. Mais je n'y arrive jamais. Il y a toujours la pichenotte qui me fait avancer d'un pas, sortir du rang, me décamoufler, me dégaper. Comme mon panier et sa petite roue qui hésite, et mes mains croisées, et le vide dans le panier, et mes pas incertains, et mes mamelons climatisés.

J'étais mal à l'aise, je n'avais pas besoin de ça. Pas ce jour-là. Plus je me cachais derrière les petites lignes de métal de mon panier, plus on me regardait, et ma miniprison me dénudait.

J'étais perdu, j'ai figé devant le comptoir de la boucherie, avec Martin derrière. Martin, sur son écusson, Martin boucher, sans majuscule.

Il n'était pas comme les autres, il ne m'a pas regardé comme si j'étais fou. Il m'a souri avec ses lèvres, une douceur dans son visage carré.

— Qu'est-ce que je peux faire pour toi?

Il voulait m'aider. Une main tendue, avec le bras et tout. Il voulait savoir ce qu'il pouvait faire pour moi.

— C'est à cause de mon oreille. À l'intérieur de mon oreille. Ça balance en déséquilibre.

— Mm?

— Il fait chaud dehors.

— Mm…

— Mais pas ici.

On a parlé comme ça pendant des minutes complètes, plusieurs, je n'ai pas compté, ce n'était pas le temps, mais je ne voulais pas dépasser une heure, parce que c'est comme ça que ça se compte les visites chez le psy, si j'en crois ma télévision. Une heure max, que je me suis dit quand ça faisait deux minutes, quand j'ai compris qu'il était là pour moi, Martin boucher, qu'il m'écouterait avec le sang de bétail sur son tablier, qu'il m'offrait son oreille externe.

Après cinq minutes, il regardait un peu partout, et a commencé à se balancer d'une jambe à l'autre. Pour me faire comprendre que j'étais normal, que mon déséquilibre pouvait atteindre tout le monde, le fameux tout le monde que je veux être. C'est un bon psy, Martin boucher.

...

– ... et Maman c'était une femme dure, sauf pour le dessert, j'avais le droit de pas finir mon dessert et d'en prendre un autre, mais pour le reste Maman c'était une femme dure...

Une dame s'est placée devant moi, entre Martin et moi, en m'interrompant comme si elle en avait le droit. Petite dame pleine de front jusqu'en arrière, avec un petit panier même pas de roulettes, petit panier rouge à main, et elle était pressée.

– Je m'excuse, c'est parce que je suis pressée...

Martin a été poli, c'est normal, c'est son métier de gérer les personnalités fortes. Mais moi ce n'est pas le mien, et elle venait de me blesser, la petite dame pressée. J'ai voulu lui dire que ce n'était pas correct, ce qu'elle venait de faire, que j'étais déjà en consultation, qu'elle devait attendre, mais les mots ne sortaient pas, absolument pas. Ce sont des sons qui sortaient, des sons aigus, d'autres graves, et des gestes des mains. Et quelques mots, mais aucun que je connaissais. J'avais mal à la gorge, à cause de la dame pressée. Dans ma tête, c'est ma main que je voulais presser derrière sa tête à elle, juste pour qu'elle bouge, qu'elle s'en aille.

Elle s'est retournée vers moi, et elle me regardait comme on regarde n'importe qui sauf tout le monde, elle me regardait méchamment, elle m'intimidait un peu, mais elle n'avait pas le droit. J'ai avancé d'un pas vers elle, un pas grognon, incontrôlé, je ne savais plus ce que je faisais, je ne savais pas ce que je voulais faire d'elle, ou lui faire, mais j'ai avancé d'un pas grognon.

Juste un, parce que Martin est intervenu. Il m'a parlé doucement, m'a demandé mon nom.

— Comment tu t'appelles?

— Je… J… m'appelle Llouis. Avec deux *l*.

— Llouis, qu'est-ce que tu dirais d'aller faire un tour en arrière, ça va te rafraîchir les idées un peu…

Il m'a entraîné du regard vers une porte battante pleine de graisse et de doigts. J'y suis allé, j'avais confiance en lui, et de l'autre côté de la porte, je me suis retrouvé dans *Rocky*, mais en plus petit. Il faisait froid, et quelques pièces de viande étaient accrochées au plafond. Moins que dans *Rocky*, et des moins grosses, mais assez pour que je sache quoi faire.

Instinctivement, j'ai fermé les poings, et j'ai vu la dame dans une pièce de viande, et je savais au fond de moi que ce n'était pas elle pour vrai, et que je pouvais la frapper, parce que ce n'était pas elle pour vrai. J'ai donné deux coups dans un morceau de bœuf congelé, avec mon poing droit.

C'est dur, du bœuf congelé. Je me suis fait mal aux jointures.

J'ai léché le petit peu de sang sur ma main, et j'ai décidé de donner des coups de pied à la place, parce que mes souliers sont durs et qu'ils n'ont pas de jointures. C'étaient mes souliers avec des grosses semelles. J'ai donné des coups de souliers, avec mes grosses semelles. Des fois je tombais, mais je me relevais et je continuais.

J'ai frappé jusqu'à ne plus savoir pourquoi. À la fin je riais, je trouvais ça amusant. À la fin c'était drôle, donner des coups de pied à un bœuf mort.

Je me suis excusé auprès du bœuf, en riant, puis je suis revenu dans l'intérieur de l'épicerie, où il faisait chaud maintenant. La dame pressée n'était plus là, mais je n'ai même pas remarqué. J'ai pris quelques côtelettes de porc à Martin en le remerciant.

Depuis, je viens le voir à l'épicerie deux fois par semaine.

C'est un bon psy, Martin boucher.

08

Je suis sorti de l'épicerie de bonne humeur, plein de ce qu'on appelle la confiance, haut dedans mon corps et fort tout autour. Il faisait soleil dans le ciel, et je n'avais pas envie de rentrer chez moi, parce que chez moi il ne faisait pas soleil dans le plafond.

Je voulais redécouvrir ma ville. Revoir ma ville à moi, en chair et en béton, ailleurs qu'aux nouvelles de 18 h, ailleurs que dans l'œil d'une caméra, voir si tous les petits restaurants étaient devenus des magasins à un dollar, voir si les gens avaient vieilli, voir si l'eau du fleuve coulait toujours dans la même direction. Je me suis rendu dans le port, en autobus, pour voir l'eau couler. Dans l'autobus il y avait d'autres gens qui voulaient voir l'eau couler, mais je ne savais pas lesquels avant qu'ils descendent en même temps que moi, alors je n'ai pas pu leur parler en chemin, leur parler de l'eau qui coule vers la gauche et des rampes du port, pour pas qu'on tombe dans l'eau et qu'on dérive jusqu'au milieu de l'océan. Il faut attendre le milieu de l'océan pour qu'il n'y ait plus de courant, parce que le courant de l'Europe annule le courant de chez nous, mais rendu là on ne s'en rend même pas compte parce qu'on est mort.

C'est pour ça qu'il y a une rampe. Pour pas que rendu au milieu de l'océan, on ne se rende pas compte qu'il n'y a plus de courant.

J'avais posé mes bras sur la rampe, et je regardais les navires flotter, ils ne faisaient que ça. J'ai entendu quelques rires discrets à gauche, des soufflements gênés mais heureux, ça venait d'un petit groupe qui regardait un caricaturiste dessiner le portrait d'une fille qui portait une robe avec des fleurs, et si j'étais une guêpe je butinerais sa robe, j'ai pensé, mais je ne suis pas une guêpe, ça m'a déçu. Je me suis dit qu'il devait être sympathique, cet artiste, parce que les gens avaient l'air de l'apprécier, et il avait l'air passionné, il travaillait fort de son crayon en souriant, c'était communicatif, ça m'a fait sourire aussi, plus que les bateaux qui flottaient.

Il a remis son tableau à la fille aux fleurs, et elle a fait un grand sourire en le voyant, elle lui a serré la main, l'a remercié, il me semble, elle était contente et elle est partie en dansant, mais peut-être que j'ai imaginé qu'elle dansait parce que je trouvais que ça allait avec son allure générale et avec sa bonne humeur estivale et avec le bouquet accroché à ses épaules.

— Moi aussi je veux être heureux.

Je me parlais tout seul. C'était nouveau pour moi, mais c'était trop naturel pour que je m'en empêche.

— Moi aussi je veux m'amuser avec l'artiste. Moi aussi je veux mon portrait.

— Alors vas-y.

Je me répondais quand je me parlais. Ça aussi c'était nouveau.

...

Deux ans après avoir gratté mon salaire hebdomadaire à ne rien faire, j'avais jeté tous les miroirs de mon appartement aux poubelles. Je ne me souviens plus pourquoi, c'était dans un élan, je crois, un élan de désespoir à l'idée de me voir ne pas sourire. Ou bien parce qu'ils étaient sales et que je n'avais plus de produit pour les nettoyer. Les deux sont possibles. Je ne m'en souviens pas.

J'avais jeté tous les miroirs et je ne m'en étais jamais ennuyé par la suite. Je remarquais seulement qu'ils n'y étaient plus quand j'essayais de frotter la marque d'âge sur la peinture là où le grand miroir de ma chambre cessait de vivre à l'époque où il vivait encore. Je n'avais donc aucune idée de ce qu'était devenu mon visage. Je savais que je n'étais pas horrible ; je m'étais très bien entretenu pendant les deux années qui avaient suivi, rasé tous les jours et lavé deux fois par jour, brossé les dents trois fois par jour et coupé les cheveux très court, de temps en temps. Je n'étais pas l'ermite qu'on imagine quand on pense à un ermite, hirsute avec des bouts de nourriture dans la barbe, perdu désorienté au milieu de la saleté. Mais je ne savais pas de quoi j'avais l'air.

...

C'était une occasion parfaite de me voir le visage, deux ans plus tard. Découvrir si j'avais vieilli en même temps que le temps, si mes traits s'étaient tirés, si mes dents étaient tombées, si mon nez était aquilin, il n'y a qu'un nez qui peut être aquilin, il me semble, alors aussi bien que le mien le soit.

Le monsieur caricaturiste était seul depuis quelques secondes, pas une personne autour de lui, sa solitude m'a convaincu, je me suis approché et il m'a salué.

— Bonjour! *Hello! How are you?*

— Je suis bien.

— Vous parlez français, c'est parfait!

— Oui mais j'ai de la misère avec mes mots, les mots ils sortent bizarres dans ma bouche.

— C'est normal. C'est comme ça avec tous les touristes.

Je ne savais pas pourquoi il me parlait de touristes, mais ils avaient un charisme attendrissant, le monsieur et son sourire.

— Vous voulez un dessin de vous?

— Oui.

— Assisez-vous là.

J'ai voulu lui dire que assire n'était pas un verbe, même pas pour les touristes, mais j'ai perdu le fil de mes pensées en m'efforçant de m'asseoir sur le petit banc sans renverser tout ce qu'il y avait autour. Il s'est tout de suite lancé dans son œuvre, il me parlait en même temps, il était gentil.

Il s'intéressait à moi, il m'a demandé ce que j'aimais. Je lui ai dit les côtelettes de porc.

Je ne sais pas si je réussissais à cacher mon enthousiasme, je ne sais pas s'il voyait ma jambe qui flottillait, je ne sais pas s'il voyait dans mes yeux l'espoir d'avoir déjà trouvé un ami. Il était occupé, je ne voulais pas le déranger tout de suite avec mes envies. J'avais envie de lui parler davantage. D'aller souper avec lui, peut-être, il y a plein de restaurants autour.

Il m'a demandé d'où je venais. Je lui ai dit de l'autobus en pointant l'arrêt.

Il m'aimait bien, ça se voyait, et moi aussi je l'aimais bien, je ne sais pas si ça se voyait, mais je crois que oui parce que les gens qui passaient nous regardaient avec envie, c'est ce que j'ai senti, de l'envie, et je suis bon pour sentir les sentiments chez les autres. Il y a même un petit garçon de pas plus de quatre ans qui a crié en pleurant que lui aussi voulait se faire dessiner. L'envie n'a pas d'âge. Il a même rajouté, après que ses parents eurent colmaté les fuites dans ses yeux et fait des nœuds dans ses cordes vocales – des parents scouts –, qu'il avait envie.

Je le savais.

...

– Votre nom à toi, c'est quoi? que j'ai demandé à mon portraitiste.

– Moi c'est Henri. Pis j'ai fini.

Les artistes ont toujours plusieurs talents. Lui c'était le dessin et la rime. J'étais jaloux. J'aurais voulu être un artiste. Ou capitaine d'un navire.

Henri m'a tendu mon portrait, et j'étais comme un enfant la veille de son anniversaire, surtout si son anniversaire c'est le 25 décembre. Excité. J'aurais tellement aimé avoir un lit pour pouvoir sauter dessus.

Je l'ai remercié sans regarder le dessin, je lui ai dit que je reviendrais, je lui ai dit merci, je l'ai payé. Et j'ai fait mon écureuil. J'ai ramené mon portrait en le cachant sous mon chandail, jusque chez moi, sans le regarder. C'était mon butin. J'avais hâte de le déguster, en cachette, tout seul en riant des autres. L'autobus allait lentement, tellement lentement, j'aurais voulu avoir une voiture et appuyer sur les champignons – je ne sais pas pourquoi les gens ont des champignons sur leur accélérateur, ils devraient faire sécher leur tapis un peu plus souvent.

Rendu chez moi, j'ai enlevé mon chandail et, avant de regarder mon portrait, j'ai pensé à Henri, je me suis dit que si le portrait était beau, je l'inviterais à manger chez moi, je l'inviterais à écrire des poèmes sur mes murs, j'aime la poésie, surtout quand ça rime. Quand ça ne rime pas je ne suis pas capable de savoir si c'est un poème ou un texte normal.

J'ai retourné mon portrait du bon côté, j'étais stressé. Je me suis vu.

J'étais laid.

J'avais un gros nez, des dents gigantesques, les yeux croches. J'étais hideux. Je ne comprenais pas que j'aie pu m'enlaidir autant en seulement deux ans. Que j'aie pu me déformer autant, que mon visage ait pu souffrir autant du temps qui passe. Je me suis assis, en me touchant la face avec le bout des doigts comme pour me caresser tendrement, mais c'était pour me voir la laideur, pour me sentir les défauts. Avant j'étais beau. Maintenant j'étais laid.

J'ai pensé à rester chez moi pour l'éternité, à ne plus sortir pour ne plus effrayer les gens dans la rue. J'ai compris pourquoi Ventrilo ne m'avait pas aimé. Je n'ai pas compris pourquoi Barbabarara ne s'était pas sauvée en courant.

Heureusement, j'avais Henri. Moi j'étais laid, mais le portrait était beau, bien fait. Il était même drôle un peu, j'avais un autobus dans une main et une côtelette de porc dans l'autre. Ça m'avait remonté le moral, légèrement, l'idée que c'était un peu drôle, mais surtout l'idée qu'Henri ne m'avait pas jugé, qu'il s'intéressait à moi et qu'il viendrait souper chez moi, peut-être. Je lui ferais des côtelettes de porc.

J'ai décidé d'aller le voir tout de suite, exorciser mes larmes, sécher mon tourment, oublier mon apparence et fonder une amitié le plus vite possible avec Henri, qu'il me rime la beauté du monde pour que j'oublie qu'elle n'était pas dans mon visage. Je suis sorti.

Il faisait encore soleil dans le ciel.

Au coin de la rue, là où l'autobus ne passait pas encore, quinze minutes et toujours pas d'autobus mais beaucoup de piétinements impatients, c'est là qu'il y avait le magasin de Ventrilo. Je suis entré pour lui demander, à Ventrilo, lui demander si l'autobus s'en venait.

— Est-ce que l'autobus s'en vient parce que le portrait de mon visage, celui qui dessine, j'ai pas de miroir chez moi?

– Les miroirs c'est la quatrième rangée, qu'il a dit sans ouvrir la bouche et toujours sans marionnette.

Ce n'est pas ce que j'avais demandé. Mais je ne voulais pas l'insulter, alors je me suis rendu dans la quatrième rangée, pour voir les miroirs. Je me suis regardé dans un petit miroir qui avait un défaut : dans le miroir je n'avais pas du tout l'air de mon portrait, j'avais l'air de la même chose qu'il y a deux ans. J'ai pensé que c'était un vieux miroir, que c'était pour ça, alors j'ai regardé mon visage dans tous les miroirs, et dans tous les miroirs j'étais beau.

Henri m'avait menti. Avec ses crayons et son air gentil, il m'avait menti. Il avait ri de moi. On ne rit pas de moi.

Il y a eu un bouillonnement incontrôlé à l'intérieur de mon ventre, un brûlement dans ma gorge, mes poings se sont fermés tout seuls, et ma respiration s'est arrêtée.

Je ne l'aimais plus. Plus du tout.

Je le détestais. Violemment.

Je ne comprends jamais ce qui se passe dans mon intérieur dans mes poumons et dans mon cœur, mais quand je ne suis pas content ça déborde jusque dans mes yeux qui deviennent rouges comme dans les dessins animés, je l'ai vu dans les miroirs, mes yeux rouges et la colère en moi, mes yeux rouges et les poings fermés. Ce n'est pas de la douleur, c'est de la violence, et il n'y a pas de pièces de viande accrochées au plafond partout où je suis, alors je ne peux pas me calmer partout. C'est un débordement, une inondation, c'est l'enfer brûlant qui explose autour de moi, et je n'y peux rien. Henri allait payer.

Je ne contrôlais ni la couleur de mes yeux, ni mes gestes. J'ai sauté dans l'autobus qui était arrivé sans que Ventrilo me le dise, et il avançait lentement, trop lentement, et j'aurais voulu avoir une voiture pour appuyer sur la suce – je ne sais pas pourquoi les gens remplacent leur accélérateur par une suce, ce n'est pas très hygiénique pour les bébés.

Des milliers d'heures plus tard, des milliers d'heures à taper du pied et à respirer vite et fort, des milliers d'heures à essuyer la colère qui débordait de partout, je suis arrivé au port, les poings toujours fermés et l'incontrôle florissant tout autour de moi comme les fleurs sur la robe de la fille épaisse qui avait aimé le portrait qu'Henri avait fait d'elle. Henri était encore là, et je ne l'aimais plus. Plus du tout.

Il était en train d'enlaidir quelqu'un d'autre avec ses crayons. Je me suis lancé sur tout ce qui l'entourait, et j'ai tout pris, les toiles et les crayons, et les chevalets et les chaises, et j'ai tout lancé à l'eau en criant le plus fort que je pouvais que je n'étais pas laid.

– JE SUIS PAS LAID ! JE SUIS PAS LAID !

J'ai tout jeté son équipement dans l'eau du fleuve, et ça m'a calmé, ça m'a beaucoup calmé. Mes yeux sont redevenus blancs, j'en étais sûr même sans miroir. J'ai respiré, tout le monde était immobile et me regardait sans comprendre ce qui venait de se passer.

J'ai regardé Henri qui me regardait les yeux tout grands, et je lui ai dit, en prenant vraiment

vraiment mon temps pour que les mots sortent dans le bon ordre :

— Si tu veux les retrouver, tes crayons et tes tableaux, t'as juste à aller en plein milieu de l'océan. Mais je t'avertis, ils vont être morts.

09

Il y a des monstres dans mon garde-robe.

Il y a les coulées de lave qui font souffrir les petits enfants la nuit. Les monstruations des férocités qui se cachent dans les garde-robes ou sous les lits. Les monstruations que même les draps sous lesquels on se cache ne peuvent absorber.

Je venais de rentrer chez moi et j'avais la vie vide. Je n'avais pas de téléphone pour appeler Barbabarara, Martin avait pris congé et Henri était méchant. Je manquais de ressources. C'est dans ces temps-là que je doute.

C'était si simple, avant. Le lever du lit les boutons de la télécommande le coucher au lit, personne pour m'aimer mais personne pour me décevoir. Si simple. Je crois qu'on est mieux seul dedans que seul dehors.

Je crois qu'on est mieux seul sans personne que seul entouré de gens. On est mieux seul dans son lit sans personne que seul dans son lit avec plein de monstres dans le garde-robe.

Sous mon lit il n'y a rien, parce que ma base de lit est pleine. Les monstres ne peuvent pas s'y cacher. Mais le garde-robe, lui, est parfaitement placé pour une attaque-surprise pendant mon sommeil. Depuis que je suis sorti ils sont revenus. Ils y étaient quand j'étais plus jeune, quand je dormais moins bien, quand je travaillais à mon bureau de gens désagréables aussi. Ils avaient disparu avec l'argent gratuit de la loterie, l'argent ça éteint bien des insomnies.

Je ne sais pas pourquoi ils sont revenus.

· · ·

C'étaient mes réflexions cet après-midi-là, parce que je voulais occuper mes pensées pour ne pas penser que je devrais ressortir si je voulais rencontrer des gens. Je pensais aux monstres plutôt qu'à l'extérieur, parce que l'extérieur, trop d'extérieur, me faisait trembler de l'intérieur des os. J'aimais mieux l'extérieur avant de l'avoir rencontré.

C'est la même chose avec la paix dans le monde. La paix dans le monde est plus belle quand on y croit sans avoir à vérifier. Parce que quand on vérifie, on se rend compte qu'on s'est peut-être trompé, qu'on n'aurait peut-être pas dû y croire. Et on ne peut pas revenir en arrière, on est pris avec la vérité. Moi j'étais bien tout seul chez moi, avant. Je ne savais pas que dehors il y avait des gens qui ne m'aimaient pas. Depuis que je suis sorti je le sais. Et je ne peux pas l'oublier, il est trop tard, je ne peux plus m'enfermer et faire comme si.

C'est si simple de faire comme si. Maintenant je suis obligé de faire comme ça.

Comme ça, avec mes jambes qui bougent dans la rue, avec mes paroles aux gens qui ne veulent pas me comprendre, avec ce monde qui a changé, avec ces artistes qui s'amusent à mes dépens. C'est si compliqué de faire comme ça.

. . .

Je me suis enfermé dans mes couvertures pour le reste de la journée, j'ai essayé de ne pas réfléchir, de ne plus penser à tout ça, parce que c'était du passé, de me concentrer sur l'avenir, sur demain, demain j'irais acheter un téléphone cellulaire, pour appeler et qu'on m'appelle, ce serait un pas dans une direction, je ne sais pas laquelle mais j'espère que c'est la bonne, un pas vers la communication, sans fil en plus, mais ensuite j'ai eu peur d'avoir à retenir tous les numéros qu'on me donnerait, les chiffres de mon numéro à moi et ceux de ceux des autres, et j'ai voulu cessé de penser à ça, et j'ai recommencé à penser aux monstruations.

. . .

Ce soir-là, avant de me recoucher pour la nuit, j'ai déplacé le gros meuble plus grand que moi dans ma chambre. Je l'ai mis devant la porte du garde-robe.

10

Une ville, c'est plus grand que dans mon souvenir.

Il y a plus de gens, plus de rues, plus d'endroits où croiser du monde qu'on connaît, et plus souvent c'est du monde qu'on ne connaît pas. Dans mon souvenir c'était plus petit, avec moins de tout ça. La ville a grandi, ou j'ai rapetissé.

Quand Barbabarara m'a donné son numéro de téléphone devant la clinique, pour que je la rappelle pour qu'on se cherche des amis pour qu'on arrête d'être tout seuls avec nous-mêmes, je pensais que ça ne servait à rien. Que le numéro de téléphone c'était seule-ment des chiffres comme n'importe quels autres, des chiffres qui ne me serviraient ja-mais. Que je n'aurais pas besoin de l'appeler parce que je lui rentrerais dedans dès que je le voudrais mais sans m'en rendre compte, en marchant dans la rue sur le trottoir au hasard de mes pieds. Que la ville était toute petite, si le monde est petit comme on dit, la ville doit l'être encore plus.

C'était comme ça dans mon souvenir, ce n'est pas comme ça dans l'aujourd'hui. Je suis sorti pour marcher n'importe où sans calculer, en me disant que je croiserais Barbabarara pouf comme ça, on se rentre dedans elle échappe un objet, je le ramasse sans la regarder, je relève les yeux et je vois que c'est elle et on rit de bon cœur.

J'ai marché pendant trois heures et demie, et je ne suis rentré dans personne, et encore moins dans Barbabarara. Je me lançais dans le vide très vite à chaque coin de rue, en longeant les murs et en apparaissant au carrefour comme un serpent en tire-bouchon dans une canne de blagues. Rien. Pas de hou, pas de houla, pas même de houlalala. Pas de Barbabarara non plus.

La ville c'est grand, j'ai conclu, plus grand que dans mon souvenir, et les chiffres du numéro qu'elle avait écrit sur le papier dans ma poche allaient devoir sortir de ma poche.

. . .

Je suis allé m'acheter un téléphone à cellules, pour appeler de n'importe où, même des endroits où on n'entend rien. Ça me fait peur le téléphone à cellules, pas pour le cancer qui travaille le cerveau, pas pour les ondes qui grillent la vie à feu doux. Pour les chiffres à retenir, pour les choix à faire quand quelqu'un te demande ton numéro. Je lui donne, je lui donne pas, pourquoi il veut m'appeler, et si je dors quand il appelle, et si ça sonne et que c'est un faux numéro, comment je vais le savoir?

Communiquer, ça ne m'avait jamais fait peur, mais maintenant oui. Avant c'était facile, j'étais plein de talent pour la communication, j'avais plein d'entregent et de phrases toutes faites pour que les gens au bureau me foutent la paix. Aujourd'hui c'est plus dur. C'est parce que je ne sais pas avec qui communiquer, je crois. Un téléphone ça me fait peur, à cause des chiffres et de la communication. Mais j'en ai besoin, je le sais, ça fait des jours que j'y pense, des jours que j'espère ne pas en avoir besoin, mais j'en ai besoin, je le sais depuis des jours.

Au centre d'achats il y a plusieurs stands de téléphones, au milieu des allées. J'en ai pris un au hasard, celui avec les plus belles couleurs. Il y avait deux vendeurs derrière le comptoir, un grand et un petit. J'ai pris le grand.

— Vous avez des belles couleurs, que je lui ai dit pour me présenter.

— C'est parce qu'il fait un beau soleil.

Je n'étais pas certain d'avoir choisi le bon. Il avait l'air niaiseux avec son sourire niaiseux, et je ne comprenais pas pourquoi il me parlait du soleil quand moi je lui parlais de son logo et de sa chemise. Les gens niaiseux me font un peu pitié, alors je ne l'ai pas repris, j'ai fait un sourire niaiseux pour qu'il se sente à l'aise. Ça a eu l'air de le rassurer, parce qu'il s'est mis à me parler des téléphones sans fil, en me montrant les modèles en démonstration qui étaient attachés au comptoir avec des fils.

Dans un centre d'achats tu peux regarder toujours à la même place, et tu ne verras jamais la même personne passer, il y a du monde différent chaque seconde.

Je regardais à côté de mon grand vendeur, plus loin dans l'allée, je regardais le monde passer en étant toujours différent, et il m'a rappelé à l'ordre.

– Allô?

– Je m'excuse. Je regardais le monde différent.

Il s'est retourné pour regarder le monde différent lui aussi, puis il s'est reretourné vers moi avec de l'interrogation en points dans les yeux, mais je l'ai rassuré en lui disant que ce n'était pas grave, que c'était normal que tout le monde change quand on fixe le même endroit.

À partir de ce moment-là il m'a compris. Il a fait oui de la tête en regardant au plafond pour me montrer qu'il s'était rendu compte qu'il était un peu niaiseux, et il a fait un petit sourire et il m'a vendu un téléphone, avec plusieurs services et un contrat de trois ans.

Parce qu'il m'aimait bien – c'est lui qui l'a dit – il l'a activé tout de suite devant moi, le téléphone. Il m'a donné un numéro avec des chiffres juste à moi, et il l'a activé, parce qu'il m'aimait bien.

J'ai appelé Barbabarara pour tester le téléphone, et aussi pour parler à Barbabarara, tout de suite directement là dans le centre d'achats devant le grand vendeur qui me regardait content, et confiant que ça marche, le téléphone et aussi les chiffres qu'elle m'avait donnés. C'est même lui qui a appuyé sur les boutons du numéro, parce que j'avais peur de me tromper et de ne pas savoir quoi dire si c'était quelqu'un d'autre qui répondait au bout du pas-de-fil. Il a signalé correctement, j'en étais sûr c'est un professionnel des téléphones, ça me faisait du bien d'être encadré pour mon premier appel, et Barbabarara a répondu en accrochant son allô dans ses problèmes de cordes vocales.

– A… a-allô ?

– Allô c'est moi !

Elle ne m'a pas reconnu tout de suite, mais dès qu'elle n'a pas compris ce que j'essayais de lui dire elle m'a reconnu tout de suite.

On a parlé très longtemps sans dire grand-chose, sous le regard confus de mon vendeur. Je lui ai dit que je n'avais pas pu l'appeler avant, elle a répondu que ce n'était pas grave, qu'elle était contente que je l'appelle de toute façon, même si ce n'était pas avant. Elle m'a demandé comment j'allais, je lui ai parlé d'Henri, elle n'était pas contente. Elle m'a dit qu'elle n'avait rencontré personne. Je lui ai dit que je l'aiderais.

Puis elle m'a demandé pourquoi j'appelais, et je ne savais pas trop quoi répondre. Elle m'a demandé si je m'étais fait un ami, je lui ai dit que je pensais que oui, en lançant un clin d'œil au vendeur. C'est qui ? elle a demandé, et j'ai dit que c'était un vendeur, en lançant un autre clin d'œil au vendeur. Elle avait l'air déçue. Très déçue. J'avais un ami et pas elle.

Sur le coup, j'ai paniqué un peu, alors je lui ai dit que c'était pour ça que je l'avais appelée, parce qu'il y avait un autre vendeur, un de sa grandeur, et qu'elle pouvait venir me rejoindre. Elle a dit OK tout enthousiaste et a raccroché trop vite. Moi j'ai continué à parler un peu dans le vide, pour ne pas avoir l'air de m'être fait couper la ligne au nez. Puis j'ai fermé mon téléphone moi aussi, et j'ai attendu qu'elle arrive.

– Elle s'en vient.

Il était gêné, je crois, ou bien il avait entendu ma conversation, parce qu'il parlait à son collègue, le petit vendeur sur mesure pour Barbabarara. Ils souriaient, j'ai l'impression que tout le monde sourit toujours autour de moi. C'est valorisant. C'est bon pour la confiance et la communication.

Je n'ai pas bougé jusqu'à ce que Barbabarara arrive. Ça lui a pris des minutes, mais je ne sais pas combien. Moi je regardais le monde différent passer au même endroit, devant la vitre d'une bijouterie vide. Si j'étais un cambrioleur, je ne cambriolerais pas cette bijouterie-là, parce que j'imagine que les bijoux dedans ne sont pas beaux, vu qu'il n'y a personne qui en achète. De temps en temps je faisais un petit signe de tête à mon vendeur, pour entretenir notre relation, et il faisait la même chose.

Et je contemplais mon nouveau téléphone, aussi, il était beau avec des lumières, mais secrètement j'espérais qu'il ne sonne pas, parce que s'il sonnait ce serait un faux numéro, parce que je n'avais donné mon numéro à personne, sauf au vendeur, mais lui il n'avait pas besoin de m'appeler, il était déjà là.

Je regardais mon téléphone ne pas sonner, et tant que ça restait comme ça, c'était parfait, j'étais heureux, avec mon téléphone neuf et ses cellules, et les bijoux laids derrière les gens qui passaient.

On m'a tapé sur le milieu du dos, avec une petite main timide, et sans même avoir à me retourner, je savais que c'était Barbabarara, mais je me suis retourné quand même. C'était elle. Elle avait l'air contente de me voir, mais dans le fond elle ne me voyait pas vraiment parce qu'elle regardait par terre. Elle a tendu la main pour me saluer, je lui ai dit allô. On n'est pas très habiles pour se dire bonjour, il faudra qu'on travaille ça.

Elle m'a demandé il était où, son ami possible, et je l'ai pointé, le petit vendeur, et elle a dit qu'il avait l'air sympathique, et c'était vrai. Il ressemblait à un acteur américain gentil, celui qui joue tous les rôles de petit gentil dans les films d'après-midi.

– Ve le voir, que j'ai dit à Barbabarara, va le voir.

– Oui, j'y vais, qu'elle a répondu mais en plus long et en plus raboteux.

Elle a fait des tout petits pas, plus petits encore qu'un nouveau-né, vers le comptoir, et moi je ne l'ai pas suivie parce que je savais que si j'étais là ça l'énerverait et qu'elle ne serait pas dans le meilleur état pour fraterniser. Elle et le petit vendeur ont parlé pendant quinze minutes, je crois que ça a cliqué, ils parlaient en gesticulant, avec de la bonne humeur dans les mains. J'ai même vu le petit poser ses doigts sur l'avant-bras de Barbabarara, et j'étais fier. Je me sentais comme un grand frère qui présente un bon gars à sa petite sœur, pour ne pas avoir à casser la gueule aux mauvais gars qu'elle rencontre d'elle-même. Ils ont discuté encore pendant quelques instants, puis elle a payé son nouveau téléphone et est venue me rejoindre, le grand sourire dans le tout petit visage fermé, mais un peu moins fermé qu'avant. Moi je sautillais sur place en riant, c'était le bonheur.

– Wow! qu'elle a dit avec plusieurs *w*.

– Il avait l'air gentil.

– Oh oui!

Elle était resplendissante, le soleil aurait pu mourir ce jour-là ça n'aurait rien changé, elle illuminait tout autour.

On s'est donné nos numéros, et on est partis chacun de son côté, le cœur léger, la sonnerie à vibration et l'avenir à positif.

J'avais envie de lui acheter un bijou pour célébrer, mais je ne voulais pas qu'il soit laid, alors j'ai laissé faire.

11

Barbabarara m'a fait vibrer pendant la sieste. Deux jours avaient coulé depuis l'acquisition de mon téléphone et je ne l'avais pas lâché une seconde, je suis comme ça avec les cadeaux que je me fais. Je les regarde les bichonne les caresse les admire les touche et les serre. Je dormais avec le téléphone dans les mains, la sonnerie à vibration parce que j'avais peur que le son me réveille trop en sursaut. La vibration c'est plus doux pour l'oreille.

J'aime bien me faire croire que la raison pour laquelle je gardais mon téléphone dans ma main, c'est que c'était mon nouveau jouet et que je l'aimais bien. En réalité c'était parce que je voulais qu'on m'appelle, n'importe qui mais surtout Barbabarara ou mon vendeur. De toute façon personne d'autre n'avait mon numéro encore, je n'avais pas trouvé à qui le donner. Maman peut-être. Elle s'inquiétait peut-être. Mais peut-être pas, et je ne sais pas si je voulais tant le savoir. Si elle ne s'inquiétait pas j'aurais eu mal. Alors je ne l'avais pas appelée pour lui donner mon numéro.

On s'était dit, Barbabarara et moi, qu'on se téléphonerait pour retourner voir nos amis ensemble, et moi j'avais hâte, mais je n'osais pas appeler Barbabarara, de peur de la déranger. Si je la faisais sonner quand elle dormait, peut-être que ça la réveillerait en sursaut. Je n'ai pas voulu prendre de risque, alors j'ai attendu qu'elle appelle, elle, parce que moi je savais que la vibration ne me dérangerait pas.

J'étais en train de rêver quand elle a téléphoné. Ça m'a fait sursauter. Je rêvais que je jouais au golf avec Maman dans le sous-sol de notre ancienne maison, là où j'ai grandi jusqu'à cinq pieds. Après on a déménagé et j'ai fini de grandir dans la nouvelle maison, et après je suis parti tout seul chez moi dans un appartement où je n'ai pas grandi, je me suis contenté de vieillir. On jouait au golf et c'était trop exigu, alors je frappais les murs au lieu de la balle, et c'était décevant. Puis la porte s'est refermée et j'étais rendu dans l'eau jusqu'aux genoux, et le courant m'emportait. Et le téléphone s'est mis à vibrer dans ma main, exactement quand je me faisais emporter par le courant.

C'était Barbabarara, mais elle ne voulait pas me parler de nos amis. Elle avait quelque chose d'important à me dire.

Les choses importantes, j'ai toujours cru qu'il valait mieux prendre son temps pour les dire. Ça tombait bien.

— Je t'aime pas, qu'elle m'a bégayé dans le téléphone. Je t'aime pas.

Au début, j'ai eu peur de m'être acheté un téléphone pour rien. Et, aussi, d'avoir perdu ma complice. Mais elle a expliqué ce qu'elle voulait dire, en long, en large et en rocailleux, et j'étais heureux. Ce qu'elle voulait dire, c'est qu'elle n'était pas en amour avec moi. Qu'elle ne voulait pas m'embrasser, coucher avec moi, me jouer dans les cheveux ou me masturber dans mon sommeil. Qu'elle me trouvait gentil et qu'elle était contente qu'on soit une équipe, mais pas plus.

Ça m'a rassuré de l'entendre dire ça.

Parce que c'était la même chose pour moi. Elle était ma petite sœur et je voulais la protéger et l'aider et la couvrir quand il fait froid, mais je ne suis pas le genre de gars qui couche avec sa petite sœur.

De toute façon je ne peux pas être en amour. Parce que la meilleure façon de ne pas avoir d'amis, c'est d'avoir une amoureuse. Je l'ai vu partout dans la télé, chaque fois que quelqu'un est en amour, il n'a personne d'autre autour de lui. Dans les films c'est beau et dans les nouvelles ça fait des gens qui en tuent d'autres passionnément. C'est dangereux l'amour, alors je préfère m'en tenir loin, c'est dangereux et ça rend épais, c'est ce qu'on dirait, les films d'amour dans l'après-midi c'est épais.

Barbabarara m'a parlé d'amour. D'un sentiment qu'elle ne veut pas, pas là pas avec moi jamais avec moi.

De toute façon Barbabarara elle est lesbienne, c'est ce qu'elle voulait me dire aussi. Moi je lui ai dit que je ne voyais pas ce que ça donnait de choisir une orientation sexuelle si on est tout le temps tout seul, mais elle n'a pas aimé ça et m'a raccroché la ligne au nez. Je l'ai rappelée pour m'excuser, mais elle n'a pas répondu alors je me suis excusé auprès de sa boîte vocale.

J'ai parlé à sa boîte vocale jusqu'à ce qu'elle me raccroche au nez elle aussi. Je lui ai dit de dire à Barbabarara que ça ne me dérangeait pas qu'elle soit lesbienne, que je la comprenais. Que j'étais sûr qu'elle trouverait la bonne fille pour elle un jour. Que je voulais qu'elle soit prudente avec l'amour parce que même les lesbiennes elles se tuent aux nouvelles.

Que je voulais qu'elle soit bien parce qu'elle était ma petite sœur, et qu'une petite sœur c'est fait pour être bien.

Que si elle voulait, elle pouvait me rappeler pour qu'on aille voir nos amis.

12

Les poignées de mes tasses sont aquilines. Mes deux tasses astrologiques achetées au magasin du coin qui ne vaporise plus des hot-dogs. Les hot-dogs coûtaient un dollar, eux aussi, mais il n'y en a plus. Je tenais chacune dans une main, par les poignées aquilines, et j'avais mal aux doigts parce que c'était chaud, parce que j'avais mis du café dans les deux, parce que je ne savais pas quel signe m'allait mieux ce matin-là, Sagittaire ou Verseau. Je suis Bélier. Je ne sais pas pourquoi j'ai choisi ces deux tasses-là, peut-être parce que j'aurais mieux aimé naître à un autre moment. Une autre époque, une autre vie, des années et deux mois de différence.

J'ai bu dans la Sagittaire, j'ai déposé la Verseau, et si quelqu'un par hasard était entré chez moi à ce moment-là, un cambrioleur ou un vendeur d'aspirateurs, j'aurais eu un café à lui offrir, si seulement il avait été Verseau, ça aurait été un moment fort de la journée.

Personne n'est entré.

Mais le téléphone a sonné. C'était la chan-son des Barbapapa, ma sonnerie, et ça tombait bien parce que c'était Barbabarara-qui-ne-m'aime-pas qui appelait.

— Veux-tu un café?

— N-non, ça v-va. J… j-j'en ai un.

Barbabarara elle est Taureau, mais elle n'a pas de cornes. Quand elle boit son café, elle fait shrlip avec sa bouche et ça griche dans le téléphone. Entre deux grichements, elle m'a proposé d'aller voir nos amis au centre d'achats, en face des bijoux, cet après-midi si tu peux. Elle n'a pas vu mon sourire qui s'étirait d'un cadre de porte à l'autre comme un élastique vraiment trop grand pour rien. J'attendais ça depuis des jours maintenant, la chance de revoir le petit et le grand, le petit je m'en fous mais le grand il est à moi. La chance de fraterniser encore plus avec eux, aller au cinéma peut-être, magasiner, leur demander leur avis sur un pantalon pendant qu'ils nous attendent en dehors de la cabine d'essayage, se regarder le derrière dans le miroir pendant qu'ils nous disent qu'il nous fait bien, celui-là, et manger de la crème glacée de centre d'achats, chialer parce que la crème glacée de centre d'achats c'est pas très bon, et parler longtemps assis sur un banc au milieu d'une allée à côté d'une poubelle là où les gens fumaient avant de ne plus avoir le droit de fumer. Rire. Être des amis.

— Oh oui! Oui oui oui! On fait ça!

C'était une bonne nouvelle, j'en ai oublié mon café.

On était le matin et je devais attendre l'après-midi. Passer le temps. N'importe comment, faire n'importe quoi pour que les aiguilles tournent vers l'avenir, pousser dans le dos des minutes pour qu'elles accélèrent. J'ai lavé la vaisselle trois fois, même la déjà propre, et je l'ai essuyée chaque fois, pour passer le temps. Midi tardait à arriver, l'après était encore plus loin, il fallait faire quelque chose en attendant, combler le vide pour accélérer les aiguilles de l'horloge de la vieille cuisinière d'un autre millénaire, beige. J'ai repassé des vêtements, c'était la première fois que je faisais ça, avec la planche qui se déplie du mur comme les comptoirs d'armes secrets dans les films de fin de soirée, et avec le fer que quelqu'un avait laissé là, une fille d'une ancienne époque qui détestait les plis, et qui, étrangement, n'était jamais repassée pour chercher son fer. J'ai repassé mes chemises, en essayant différents types de plis. Puis j'ai repassé mes pantalons, puis mes bas. J'ai repassé mes draps, aussi. C'était long, tant mieux.

Puis, au milieu de tout cet ordre sans pli et de cette vaisselle propre et sèche et propre et sèche et propre et sèche, je me suis retrouvé à entendre la sonnerie du four qui me disait que j'étais cuit. C'était 13 h, l'heure que je m'étais fixée pour me préparer. La deuxième impression est aussi importante que la première, je trouve, il faut se faire reconnaître, et il faut que l'autre se dise « oaah, j'avais oublié qu'il avait l'air aussi sympathique ». Il faut en mettre un peu plus. Pas trop, pour ne pas être méconnaissable, mais un peu, pour être connaissable mais mieux. Je m'étais donné trois quarts d'heure pour me préparer, c'est raisonnable.

Je me suis rasé fraîchement, je me suis lavé pour sentir propre, et je me suis habillé repassé – c'est drôle, des vieux bas avec un beau pli. Puis j'ai mis de l'eau dans mes cheveux, et du gel dans ma main, et je suis allé au magasin du coin. Là, dans la quatrième rangée, je me suis placé les cheveux juste comme il faut dans les vieux miroirs, et j'étais beau.

– Es-tu prête? que j'ai demandé à Barbabarara dans le téléphone, et elle m'a répondu qu'elle était déjà dans l'entrée du centre d'achats, qu'elle n'avait pas été capable d'attendre, qu'elle était là depuis deux heures ou trois, qu'elle n'avait pas osé se rendre jusqu'au stand de cellules, mais qu'elle m'attendait impatiemment, et que si je ne posais pas autant de questions, ça ferait longtemps que je serais arrivé.

Je n'aurais pas pu attendre l'autobus, pas fébrile comme je l'étais, de l'extérieur je devais donner l'impression d'avoir envie d'aller aux toilettes, et il y avait un peu de ça aussi, mais c'était davantage la hâte de rejoindre Barbabarara. Et la peur qu'elle ne m'attende pas. Si elle ne m'attend pas elle va peut-être partir avec les deux, ce serait désolant, si elle ne m'attend pas elle va être heureuse avant que moi je le sois, et je vais être jaloux, et ça va m'empêcher d'être autant heureux qu'elle, parce qu'on a tous une quantité limitée d'émotion qu'on peut contenir à la fois. Je voulais avoir le plus de vide dans mon réservoir d'émotion, pour que le bonheur qui rend les autres jaloux y soit seul et plein – les autres, je m'en fous si c'est la jalousie qui les remplit.

Aujourd'hui c'est notre journée, à Barbabarara-qui-ne-m'aime-pas et à moi-qui ne-l'aime-pas-non-plus.

Les autres ils prendront leur journée un autre jour.

Pas d'autobus de peur d'arriver trop tard, alors le taxi, le premier qui passe avec la lumière allumée sur le toit, lui là, de l'autre côté mais c'est pas grave parce qu'il va faire un virage en U. Les taxis font 8 000 virages en U par jour, ils doivent s'ennuyer des autres lettres. Dans le taxi le chauffeur m'a écouté lui dire où j'allais, et après il a parlé au téléphone tout le reste du temps, pendant que les sous prenaient de l'ampleur sur le compteur. Même quand on ne bougeait pas. Si j'avais mon auto à moi le compteur resterait toujours à zéro.

Je lui ai donné trois dollars de pourboire parce qu'il avait pris le même chemin que moi j'aurais pris, et je suis descendu et j'ai couru jusqu'à l'entrée du centre d'achats, c'était tout proche mais j'ai couru quand même. Et j'ai poussé la porte avec trop de force, elle m'est retombée dessus trop vite, et j'avais mal au bras, mais c'était tellement insignifiant, tellement que je n'avais plus mal dès que j'ai vu Barbabarara qui cognait dans la vitre de l'animalerie juste là. Elle cognait comme dans le mur de la clinique, tout doucement pour réveiller le chiot qui était là, mais sans le déranger.

Quand elle m'a vu (je criais comme un débile pour qu'elle sache que j'étais enfin là), elle a arrêté de cogner dans la vitre, mais pendant une fraction de seconde sa main a continué à faire des cognements dans le vide. C'était drôle, je l'aime bien, son insouciance et son impertinence, sa maladresse et ses gestes miniatures.

— Salut cowboy!

C'était la deuxième fois qu'elle m'appelait cowboy. La première fois, pendant la nuit des avions qui passaient dans le ciel, j'ai pensé que c'était une erreur. Cette fois-ci je savais que ça n'en était pas une, mais ça ne m'aidait pas à comprendre pourquoi. J'ai quand même regardé mon reflet dans la vitre du chiot pour être certain que je n'avais pas de chapeau. Puis on s'est dirigés vite vite avec des petits pas bousculés vers le stand de téléphones.

Nos amis y étaient. Et seuls l'un avec l'autre.

— Salut!!!

J'étais plein d'exclamation, triplement énervé. Barbabarara, elle, frappait sur le comptoir avec ses mains menues, en sautillant sur place.

— Euh… Bonjour… Y a-tu un problème avec vos téléphones?

— Non. Les téléphones sont parfaits les téléphones. On parle dedans mais pas Maman, pis moi je le fais vibrer parce que mes oreilles me font sursauter…

— Euh… Ok… Mais y a pas de problème avec les téléphones?

— Non, on venait jaser. Pis peut-être magasiner, si tu peux, vous.

— Pourquoi vous voulez jaser ici?

– Ben… Avec toi.

Barbabarara a ajouté qu'elle voulait jaser avec l'autre toi, en pointant le petit, et on était contents. Eux, on aurait dit qu'ils étaient moins contents que nous, mais c'était normal parce que c'était l'effet de surprise. Nous on le savait depuis ce matin qu'on s'en venait, eux le savaient juste depuis deux minutes.

– Je comprends pas, là. Vos téléphones fonctionnent bien. Tout est sous contrôle avec vos téléphones, c'est ça ?

– Oui.

– Mais vous voulez jaser avec nous ?

– Oui.

– Pourquoi ?

– Parce que vous êtes nos amis !

Ils ont fait un pas chorégraphié vers l'arrière, les deux. Un petit pas pour le petit et un grand pour le grand.

– C'est parce que… On est pas vos amis, nous. On est juste des vendeurs. On a jamais voulu être vos amis, on vous connaît pas. À la limite, on veut pas vraiment vous connaître. Vous êtes des clients, on est des vendeurs, c'est tout.

Pendant deux minutes, on n'a pas réagi. Il avait l'air désolé, le grand, mais le petit dans son coin il riait par bouffées, je l'ai vu. Moi j'ai compris qu'ils nous avaient bien eus. Ils nous avaient manipulés, juste pour nous vendre leur cochonnerie. Ce n'était pas correct. Barbabarara était rouge, je ne l'avais jamais vue aussi rouge.

Elle a regardé le petit en pleine face, et elle lui a dit que maintenant, il voudrait peut-être lui parler, parce qu'elle avait un problème avec son téléphone, et elle a lancé son téléphone par terre le plus fort qu'elle pouvait et il a éclaté. Ça lui a pris plein d'essais pour dire tout ça, plein d'accrochages, et moi, je passais par-dessus ma frustration parce que je voulais juste qu'elle aille mieux, ma petite sœur. Je l'ai prise par l'épaule et on s'est éloignés. Je me suis retourné, et j'ai regardé le grand dans les yeux.

— Moi je m'étais mis beau, juste pour ça.

Il n'a pas bougé. On est sortis dehors, il faisait soleil et humide, et on s'est assis sur le bord du trottoir, les pieds dans la rue, un à côté de l'autre, et on est restés comme ça pendant deux heures ou trois, sans dire le moindre mot. J'avais mal en dedans, elle aussi, les deux on tremblait parce qu'on ne voulait pas pleurer devant l'autre. Deux heures ou trois en silence, le temps de se calmer. Assis sur le trottoir, épaule contre épaule, pas un geste pas un son, les voitures qui passaient devant et les piétons qui passaient derrière. À brasser des idées dans nos têtes, il faudra faire quelque chose, ça ne fonctionne pas comme ça, les amis n'en sont pas, ça ne fonctionne pas, il faudra faire quelque chose, il faudra faire quelque chose.

13

J'ai pris une semaine de fausses vacances.
J'ai appelé Barbabarara à son ancien numéro, et
je lui ai dit que je partais pour une semaine,
dans le Sud, pour me changer les idées, dans le
Sud au soleil encore plus fort qu'ici, mais avec
de l'eau sur le bord de la plage. Je mentais. Je
suis resté chez moi, pas sorti pendant une
semaine, une pause, un ralenti, moment réflexif
et intérieur. J'ai compris beaucoup de choses
pendant mes fausses vacances.

C'est grâce à Martin boucher.

Parce que j'avais faim.

Apaiser la colère des autres, quand on ne sait
pas quoi faire de la sienne qui bouillonne, c'est
destructeur. J'avais l'énergie basse en rentrant à
pied chez moi, en revenant du centre d'achats,
collé sur Barbabarara en silence, qui marchait
encore plus lentement que moi. Je la traînais, la
soulevais de temps en temps pour lui faire faire
un pas de géant, la soulevais de temps en temps
quand je sentais un sanglot imminent, pour que

le sanglot passe inaperçu et qu'elle se sente moins regardée. Ça épuise, traîner quelqu'une et la soulever, ça creuse l'appétit.

On est arrivés devant l'épicerie et ma première idée a été de m'acheter à manger, puis j'ai pensé que ça me ferait du bien de parler un peu à Martin boucher, de savoir ce qu'il ne pensait pas de ma situation, de le voir se taire devant l'épaisseur de mes histoires.

Je n'avais jamais parlé de Martin à Barbabarara, parce que Martin il est juste à moi parce qu'il me connaît bien et qu'il me comprend et qu'il m'a compris dès le premier jour. Je l'avais vu deux fois depuis, et là j'en avais besoin, je le sentais, et je ne voulais pas que Barbabarara en ait besoin aussi, alors je lui ai dit qu'elle pouvait continuer toute seule, qu'elle devait faire un bout de chemin toute seule, que je ne pouvais plus la traîner et qu'elle devait marcher de ses propres pieds. Elle n'a rien répondu mais a commencé à se traîner elle-même, je l'ai vue s'éloigner jusqu'à ce que je ne la voie plus.

Je suis entré dans l'épicerie en disant un petit merci à l'œil magique qui m'avait vu arriver et qui m'avait ouvert. Les magiciens m'ont toujours un peu effrayé, à cause de leur manie de me choisir pour leurs numéros, et moi je ne veux pas me faire choisir, je veux me fondre. Quand l'œil magique me choisit, par contre, ça ne me dérange pas.

Au comptoir des viandes, il y avait, outre les viandes, deux dames et une autre dame. Et Martin, mais lui ne compte pas, parce que c'est sa place. Je lui ai déjà demandé s'il avait peur de se couper un doigt dans la machine qui fait fvouit fvouit et qui coupe en tranches tout ce qu'on met dedans, et il avait répondu que quand tu sais ce que tu fais, il n'y a pas de danger. C'est un professionnel.

J'ai attendu patiemment que les deux dames et l'autre aient terminé leur consultation. J'ai essayé d'apprendre par cœur les prix des différents types de viandes froides dans la vitrine bombée, mais je n'ai pas réussi. Puis ça a été à mon tour, et avant de commencer j'ai suggéré à Martin de s'installer une salle d'attente un peu plus étoffée, avec quelques vieilles revues sans intérêt et des chaises qui se font face pour que les malades se dévisagent en se demandant c'est quoi le problème de l'autre. Ça fait oublier nos problèmes, imaginer les problèmes des autres, les imaginer plus malheureux que nous, c'est pour ça que les chaises qui se font face sont tellement appréciées dans les salles d'attente.

– Qu'est-ce qui se passe aujourd'hui, Llouis?

C'est comme s'il avait appuyé sur un bouton avec deux flèches vers la droite, je me suis mis à parler trop vite trop trop vite avec plein de mots et de phrases mais sans paragraphes sans arrêt je lui ai tout raconté les téléphones les vendeurs Barbabarara les tasses avec les poignées le café le taxi le cowboy les virages en U la sieste la vibration les bijoux les amis la frustration la frustration la frustration.

Martin est resté calme, il me fascine, il est bon, et il s'est approché et il m'a regardé dans l'œil droit – on était proches, quand tu es proche de quelqu'un tu ne peux pas le regarder dans les deux yeux, il faut que tu en choisisses un – et il m'a dit :

– Stop.

En faisant un signe de brigadier avec sa main, pour me dire de ralentir pour m'arrêter.

J'ai fermé ma bouche et j'ai compris qu'il avait raison, qu'encore une fois il avait raison et qu'il venait peut-être de me sauver. Il fallait que j'arrête. Tout. Que je prenne une pause, que j'arrête tout.

Pour la perspective. Gagner une perspective sur moi-même, arrêter de tout faire, m'enfermer et réfléchir.

14

Stop.

15

J'ai inventé l'urgence.

Exactement là où il n'y aurait jamais dû y en avoir, là où il n'y en a pas, j'ai inventé l'urgence.

...

Je voulais un ami tout de suite, n'importe comment, immédiatement. C'est épais. Je suis épais. J'ai eu l'air d'un épais. C'est à cause de la télé.

Pendant quatre ans, je me suis habitué à avoir tout ce que je voulais, en quelques secondes. Consommation immédiate, absorption instantanée. Changement de chaîne à loisir, au gré de mes besoins. Je veux rire, je mets ça au film comique, je veux pleurer, je mets ça au film triste, je veux être bouleversé, je mets ça au documentaire bouleversant. Tout ça tout le temps, quand je veux, c'est moi qui contrôle, c'est moi qui décide, et mes gestes vont aussi vite que les idées dans ma tête.

Dans ma tête ça a toujours été un tourbillon, depuis que je suis tout petit c'est un tourbillon, ça se bouscule, ça se mélange, ça s'enchevêtre sans arrêt, sans stop, sans pause, sans ralenti, ça a toujours été deux flèches vers la droite, comme si le bouton était coincé enfoncé le caoutchouc du bouton pris dans le plastique de la télécommande. Mais depuis que je suis tout petit, j'ai toujours pu contrôler mes gestes, les empêcher de suivre le tourbillon de la tête. Laisser la tête s'emporter, et agir calmement.

Mes quatre années enfermé avaient détruit ce contrôle, je m'en suis rendu compte pendant mes fausses vacances. J'avais suivi le tourbillon, j'avais inventé l'urgence là où il n'y en avait pas.

J'avais eu l'air fou, je n'aime pas avoir l'air fou.

• • •

Avoir un ami, c'est correct. C'est un bon objectif. Mais j'ai agi en enfant. Comme si les années passées à m'isoler avaient dépassé plutôt que passé. Comme si j'avais reculé, comme si le temps avait coulé du mauvais côté.

J'étais redevenu un enfant, sans m'en rendre compte, les besoins instantanés, l'incompréhension face au monde, ce monde qui avait changé, ça c'était vrai, le monde avait changé, mais moi aussi.

J'allais rechanger.

Je ne pouvais rien faire contre le tourbillon dans ma tête, de toute façon je ne voulais rien faire contre le tourbillon dans ma tête, mais les gestes, eux, les actions, elles, je pouvais les contrôler.

. . .

J'étais dans mon salon devant la télé éteinte et je me remémorais mes cours d'amitié, les choses faciles qu'on apprend tout jeune à la maternelle, les bases de morale qu'on apprend en groupe après qu'un petit gars a tapé sur la tête d'un autre petit gars dans la cour de récréation.

Ce n'est pas parce que quelqu'un nous parle qu'il est notre ami. Une amitié, ça se bâtit. Ça se développe, ça grandit. Il faut être patient, prendre son temps, ne pas sauter aux conclusions pour ne pas être déçu, ne pas voir des amis partout pour ne pas être trompé.

J'étais comme un enfant à la maternelle, à qui on enseigne la base de l'amitié. Je me sentais ridicule, tout seul chez moi à me répéter que l'amitié ça se construit, que n'importe qui n'est pas un ami parce qu'il me parle. Mais je devais passer par là. J'avais oublié tout ça, comme on oublie les équations à deux variables, comme on oublie les dates historiques, comme on oublie l'accord des adjectifs de couleur. J'avais oublié l'amitié, les cours d'amitié de la maternelle.

. . .

J'ai tué l'urgence.

Les choses allaient changer. J'allais laisser les gens venir à moi. J'allais construire des relations fiables. J'allais grandir.

Et j'allais me trouver un ami, un vrai.

Pas un quelqu'un qui veut me vendre un objet.

Pas un quelqu'un qui me trouve drôle.

Un quelqu'un pour qui je serai aussi un quelqu'un.

• • •

J'avais cessé de respirer. Je retenais mon souffle depuis le jour de ma première sortie. Quand j'ai compris tout ça, l'urgence et l'amitié, l'enfance et les tourbillons de gestes, j'ai expiré, plus longtemps que toute ma vie, et j'ai inspiré, plus longtemps que toute ma vie.

Ça allait aller mieux.

• • •

J'ai tué l'urgence. C'est ça que j'ai fait pendant mes vacances.

16

Et je dessinais des bonhommes-allumettes, pendant deux semaines j'ai dessiné des bonhommes-allumettes dans un calepin, toujours à la même table d'un café pas loin de chez moi. C'était pour faire comme lui, en attendant que peut-être quelque chose grandisse entre nous. Lui il gribouillait dans un calepin, toujours à la même table lui aussi, pris dans son cerveau, levant rarement la tête. Ça doit être plein de brume dans sa tête, que je me disais, mais il avait l'air seul, et moi aussi je l'étais.

...

J'étais allé prendre un café à ce café – le café Café-Café – tout de suite en revenant de mes vacances, pour me changer les idées parce que je venais de me chicaner avec Barbabarara. Je lui avais expliqué mes décisions, ma réflexion, et j'ai voulu lui dire que ça s'appliquait à elle aussi, qu'on pourrait s'épauler quand même, et elle avait très bien compris, mais ça l'avait fâchée de comprendre. Elle ne voulait pas. Elle voulait quand même un ami tout de suite. Pas attendre, pas respirer. Elle voulait ressusciter l'urgence. Je lui ai dit que c'était impossible. Pas sage. Enfantin. Elle a pleuré. Elle a crié.

– Tout de suite !

Impossible, que je lui ai dit, et j'aurais aimé être devant elle pour la serrer dans mes bras, la calmer, mais on était au téléphone alors j'ai serré le téléphone. Elle a raccroché déçue et en colère, mais en disant que j'avais raison, mais en disant aussi qu'elle n'était pas sûre.

Ça m'avait mélangé, troublé, reviré la nourriture à l'envers dans mon ventre. Une fille qui pleure, ça fait ramollir les jambes.

J'étais allé me changer les idées au café Café-Café, oublier Barbabarara et me rappeler moi. Je me suis assis à la table juste là, et j'ai commandé un café dans une tasse avec une poignée. On me l'a servi dans un bol, je ne me suis pas plaint, mais j'ai demandé une cuillère à soupe.

Alors que je m'efforçais de me changer les idées, en ne pensant spécifiquement pas à Barbabarara, j'ai vu ce calepin qui cachait le visage de ce gars très très ordinaire mais habillé en brun. Je l'ai observé pendant la moitié de mon bol de café, et il était vraiment inintéressant. C'était intéressant. Il ne faisait rien d'autre que grignoter une biscotte – toujours la même, on aurait dit – et griffonner sur une page – toujours la même, on aurait dit. Je trouvais fascinant de le trouver si plate.

Et je voulais savoir ce qu'il écrivait, mais je me suis retenu de lui sauter dessus. Contrôle. Il fallait le laisser venir à moi.

Ce qu'il n'a pas fait.

Pas ce jour-là.

Ni le lendemain.

Ni le surlendemain.

Le quatrième jour, j'ai voulu forcer un peu les choses. J'ai apporté un calepin, pour faire comme lui, griffonner sur une page et rien d'autre. Peut-être que ça attirerait son attention et que ça piquerait sa curiosité. Moi je dessinais des bonhommes-allumettes, parce que je ne sais pas faire autre chose.

Le premier jour, ça n'a pas piqué sa curiosité.

Ni le lendemain.

Ni le surlendemain.

Le jour suivant, il m'a regardé avec des yeux clic clic qu'on venait d'allumer. Au milieu de l'après-midi et de mon café, il m'a regardé en sachant que j'existais, en sachant que j'étais là devant lui depuis près d'une semaine. J'ai fait comme si de rien n'était. Contrôle.

Le lendemain de ce jour suivant, même jeu d'ignorance, même regard de sa part, mais en plus soutenu. Et il a essayé de voir ce que je faisais de mon crayon sur les pages de mon calepin, il a levé la tête et le reste du corps pour se donner un angle. Je n'ai pas bougé, il n'avait aucune chance d'être assez grand pour voir quoi que ce soit de mes bonhommes-allumettes. Sur la page du dessus, un des bonhommes-allumettes tirait à l'arc vers une cible avec des ronds relativement concentriques et relativement ronds – mon trait courbé a ses limites. Un autre bonhomme-allumettes, dans un coin de la page, semblait imiter une chaise pliante.

Le lendemain du lendemain de ce jour suivant, il est venu me voir. Il avait le regard du gars qui ne sait pas pourquoi il sort de son univers pour entrer dans celui d'un autre. Ce regard un peu mobile, un peu distant, un peu confus, le regard du gars qui vient d'acheter une garantie prolongée en sachant très bien que si tout brise dans trois ans, il n'aura plus les papiers de la garantie prolongée. Confus.

Il m'a demandé s'il pouvait s'asseoir, en pointant la chaise devant moi et en regardant vers mon calepin.

J'ai dit oui, en cachant mon calepin.

Il s'est assis.

On n'a pas parlé pendant quelques minutes, et on ne s'est pas regardés non plus. Lui c'était sans doute un peu de gêne, moi c'était la volonté de me contrôler, de ne pas lui dire que j'étais content de l'avoir trouvé. J'attendais qu'il fasse les seconds premiers pas. Au bout d'un silence qui en suivait un autre, il a avancé une question.

— Qu'est-ce que tu écris? Ça fait un bout de temps que tu viens ici, et que tu griffonnes sans arrêt dans ton petit cahier. T'as l'air passionné. Qu'est-ce que t'écris?

— J'écris des bonhommes-allumettes.

— Ouais, moi aussi!…. Non, sérieux, qu'est-ce que t'écris?

J'étais sérieux. J'ai changé de sujet.

— Toi, tu t'habilles tout le temps en brun?

Il a regardé son pantalon plein de brun et de velours côtelé, et a répondu qu'il était daltonien, le regard sévère, mais les daltoniens voient le brun brun, je crois, alors ça ne tenait pas debout, mais j'ai dit que ça lui allait bien, pour le rassurer, mais peut-être qu'il a pensé que je lui faisais des avances, alors j'ai ajouté que si j'étais une fille je trouverais que ça lui allait bien et il a dit merci. Son regard décoloré s'est adouci.

Il m'a dit que j'étais observateur, et je lui ai dit que quand j'étais petit je trouvais toujours les sept différences entre les deux dessins pareils. Il m'a dit qu'il me trouvait fascinant, et moi j'ai rougi du coin des oreilles, mais c'est pas grave parce qu'il est daltonien, et en dedans de mon corps j'étais content parce que ça marchait, l'idée de le laisser venir à moi, de prendre mon temps, de respirer, de ne pas urgencer tout toujours, ça fonctionnait.

— Et toi, qu'est-ce que tu dessines dans ton calepin toi? que je lui ai demandé les oreilles encore un peu rouges.

— Moi j'écris. J'écris des poèmes. Je me laisse inspirer par la douceur du café, et j'écris des poèmes.

— Est-ce que ça rime? Des poèmes faut que ça rime.

Il m'a expliqué que la poésie, c'était la liberté. Il m'a parlé de poésie pendant quelques heures, il m'a semblé, il était passionné pour vrai plein d'étincelles et de rêves et de nuages et de flottements, pendant quelques heures et je n'écoutais pas toujours, la poésie ça m'intimide, et quand ça ne rime pas, je ne comprends pas.

Romain, il s'appelle Romain, comme les Romains de l'ancienne Rome, j'ai vérifié, je lui ai demandé. C'est un poète. Un vrai, il me l'a dit. Il a même déjà publié un recueil, dans une vraie maison d'édition, un recueil en vrai papier, avec des pages blanches qui jaunissent avec le temps. Il m'a dit que s'il m'avait connu à ce moment-là, il m'aurait sûrement invité à son lancement. Je lui ai dit que j'y serais allé avec plaisir, même si ses poèmes ne riment pas.

Il travaillait depuis quelques semaines sur une suite poétique, c'est ce qu'il faisait au café, une suite poétique pour un concours de poésie. Je lui ai demandé c'était quoi l'histoire, et il m'a dit que ce n'était pas une histoire, que c'était une émotion. Qu'il n'y avait pas d'aventures qui se suivaient, mais une émotion qui transpirait partout. Moi je lui ai demandé comment ça pouvait être une suite poétique si ça ne se suivait pas, et il a ri. J'ai eu peur, les gens qui rient me font peur, j'ai peur qu'ils rient de moi. Mais il m'a dit qu'il me trouvait très sympathique, que je l'inspirais.

J'avais la balloune gonflée.

C'était le moment parfait pour le quitter. Je devais le quitter, pas pour vrai, mais il fallait que j'y aille, nulle part, juste pour m'éloigner qu'il ne pense pas que je suis un enfant qu'il ne pense pas qu'on est des amis parce qu'on n'est pas des amis, pas encore.

Je lui ai quand même serré la main, et il a serré aussi, c'est bon signe.

Je me suis couché rempli de bonheurs ce soir-là, celui d'être sage, celui d'être gentil, celui d'être intelligent, celui d'être patient, tous ces bonheurs qui font faire des beaux rêves avec des couleurs, qui font oublier les monstres dans le garde-robe. Le lendemain au fond des draps froissés, le bras engourdi et un peu de sueur dans le cou, j'ai ouvert les yeux et les bonheurs étaient encore là, tout autour qui flottaient.

...

J'ai appelé Barbabarara – je lui faisais un compte-rendu chaque lendemain matin ; le soir elle se couche tôt, avant que je puisse l'appeler – et je lui ai raconté la veille, les développements la conversation la poésie, et elle avait l'air contente pour moi mais pas contente pour elle. Je la comprends, c'était moi qui avais un début d'ami, pas elle, et elle de son côté elle continuait à vouloir être amie avec le premier venu, et le deuxième venu, et rendu au cent quatre-vingtième venu elle n'avait pas encore compris que la patience était la clé, même si je le lui répétais chaque matin. Elle disait qu'elle comprenait mais qu'elle ne voulait pas. Et on raccrochait, toujours un peu déçus, moi de la voir s'acharner, elle de me voir convaincu.

Quand Romain sera mon ami, je m'occuperai de lui trouver un ami à elle, sans qu'elle le sache. Ce sera une surprise.

...

Au café Café-Café il n'y a pas seulement du café. J'ai pris un chocolat chaud en attendant

113

Romain, je savais qu'il viendrait, et je m'étais préparé quelques questions, pour éviter les silences mal à l'aise. J'ai peur des silences, peur que si personne ne trouve quelque chose à dire rapidement, quelqu'un va s'en aller et ne plus jamais revenir. Dans la cour d'école ça m'était arrivé, je parlais à une fille j'avais onze ans, puis je n'avais rien eu à dire pendant quelques secondes et elle était partie parler à quelqu'un qui avait quelque chose à dire, et je ne lui ai plus jamais parlé.

Romain est arrivé avec ses pantalons bruns, et il est venu me voir et m'a serré la main, et j'étais le plus heureux des hommes.

— Salut, Llouis. Ça va ?

— Oui !

— Écoute, je peux pas m'asseoir avec toi, j'ai du travail à faire, mais on se parle plus tard ?

— Oh. C'est parce que j'avais des questions.

— Des questions ? Quel genre de questions ?

— Ben. Des questions. Des questions pour toi, pour couvrir les silences. Ce genre de questions-là.

— On peut-tu se parler plus tard ?

— Non. Oui.

J'étais en train de le perdre, je le sentais, je le voyais s'éloigner millimètre par millimètre et c'était de plus en plus dur de me contrôler, je voulais l'accrocher par le brun du pantalon, le retenir l'asseoir de force pour lui poser mes questions. L'attacher à moi avec une grosse corde et des nœuds de marin impossibles à défaire sauf pour un marin. Qu'il s'installe pour toujours sur la chaise de devant et qu'on parle pour toujours au café pour cultiver notre amitié. Mais je ne pouvais pas. Si je le faisais je lui ferais peur. Et si je ne faisais rien j'allais le perdre. Il y avait un énorme trou entre lui et moi et il fallait le remplir, le remplir tout de suite lui faire des points de suture, boucher le vide et cicatriser la distance. Avec des mots ? Oui, tiens, avec des mots ça pourrait marcher, pas l'attacher avec les mains, l'attacher avec des mots, avant qu'il s'éloigne trop.

— Romain !

— Oui ?

— Je veux faire de la poésie moi aussi. Veux-tu me montrer ?

— Te montrer à faire de la poésie ?

Il s'était rapproché un tout petit peu, le tout petit peu qui fait tant de bien, qui réchauffe tous les membres.

— Oui, me montrer à faire de la poésie. Toi t'es bon, tu sais comment. Montre-moi.

— Ça ne s'apprend pas, ça, Llouis. Ça vient du fond de ton cœur, la poésie, c'est de l'émotion brute. Je ne peux pas te montrer à faire de la poésie. Mais tu peux toujours essayer. Essaie d'enlever de ta tête tout ce que tu sais, et laisse parler ton cœur. Laisse-toi inspirer par ce qui t'entoure, et écris. Tu vas voir si t'es capable ou pas…

Expliqué comme ça, ça avait l'air facile. Je lui ai dit que j'essaierais, et merci. Il s'est éloigné pour aller travailler sur sa suite à lui, et ça ne me dérangeait plus parce que je savais que je pourrais l'intéresser tout le temps en lui parlant de ma suite à moi, celle que j'allais commencer, je pourrais lui en parler n'importe quand et ça le ramènerait vers moi.

J'ai commencé à modifier mes bonhommes-allumettes pour en faire des mots, au début c'était dur, au début ils voulaient continuer à vivre, au début ils voulaient garder leurs allumettes et ils combattaient les lettres. Surtout celui avec un arc et des flèches, lui était bien équipé pour combattre et il ne se laissait pas abattre, et moi j'essayais de faire rimer mes vers, parce que quand ça ne rime pas, ce n'est pas de la poésie, même si Romain dit le contraire et que rien ne rime dans sa suite à lui.

Et ma suite à moi, en plus de rimer, elle allait se suivre, même si Romain dit que ce n'est pas nécessaire.

Pendant plusieurs jours au café, on ne s'est pas vraiment parlé mais on se faisait des petits sourires complices en écrivant chacun de notre côté nos poèmes, et j'y prenais goût, à l'écriture et à cette complicité. Les plus beaux moments dans mes journées, c'était l'arrivée et le départ, quand on se serrait la main vigoureusement et qu'on échangeait quelques mots sur notre travail. Le milieu de la journée, quand on écrivait, c'était du remplissage de temps, c'était le temps qui coule entre les poignées de main et les échanges, entre l'amitié.

Écrire de la poésie c'est agréable, mais pas trop longtemps. Chaque jour après quelques heures de mots, je retournais aux bonhommes-allumettes, et je leur faisais interpréter ce que j'avais raconté dans ma suite. Mais je ne le disais pas à Romain, ça l'aurait peut-être insulté, parce qu'il n'y a pas assez d'émotion dans des bons-hommes maigres désarticulés sans mouvement sans esprit.

Ma suite, j'ai décidé qu'elle allait s'intituler « Bonshommes sans muscles », ça me faisait rire.

. . .

La date limite est arrivée, et Romain a envoyé sa suite par la poste au jury du concours, en disant qu'il était fier.

Pour célébrer, on est allés boire une bière, pour faire changement du café. On s'est soûlés, ça faisait des années que je n'avais pas fait ça, mais c'était bien parce que ça me donnait une raison d'être étourdi. On a ri, les mots dans ma bouche sortaient de mieux en mieux avec Romain, je me sentais moi, comme le vieux moi d'avant, je me sentais en société malgré la peur.

. . .

Pendant quelques semaines on s'est vus de temps en temps, on a pris des bières de temps en temps, c'était comme de l'amitié. Comme de l'amitié et c'était transportant, et c'était la paix.

. . .

Puis la paix est morte, un jour comme ça, avec une flèche d'un arc de bonhomme qui a transpercé mon petit monde.

C'est parce que j'ai gagné le concours.

J'avais envoyé ma suite moi aussi, avec les dessins et le titre, parce que je pensais que ça ferait plaisir à Romain, parce que je savais qu'il se sentait mentor dans tout ça, même s'il n'a jamais voulu jeter un œil sur mes poèmes qui riment.

Ils ont dit que c'était original et recherché, que c'était senti et d'autres choses que je n'ai pas comprises.

Quand j'ai annoncé à Romain que j'avais gagné et que c'était grâce à lui et merci beaucoup, et que je l'ai serré dans mes bras parce que je lui devais bien de l'affection pour m'avoir aidé au café tout ce temps, il m'a repoussé. Il n'avait pas l'air content, je ne comprenais pas pourquoi. S'il avait gagné, j'aurais été content pour lui, c'est comme ça un ami, c'est content pour l'autre quand quelque chose de bien arrive. Mais lui n'était pas content, je crois, ou bien il ne comprenait pas. J'ai essayé de lui expliquer.

– Je te l'avais dit, qu'il fallait que ça rime, des poèmes.

Il a mâchouillé un sacre dans sa bouche à moitié fermée, et est parti en marchant vite et fort. Je ne l'ai jamais revu.

• • •

Je n'aime pas les bonshommes sans muscles, avec leurs arcs et leurs flèches, qui transpercent la vie quand elle va bien.

17

Les gens ont peur d'être seuls sans être uniques. Ils veulent être les seuls, mais pas seuls tout court. Ils veulent être les seuls à avoir ci, les seuls à faire ça, les seuls à avoir l'air de ça. Mais ils ne veulent pas être seuls, parce que s'ils étaient seuls, à qui ils montreraient à quel point ils sont uniques ?

Dans l'autobus tout le monde veut être diffé-rent de tout le monde, sauf moi et Barbabarara, nous on veut être pareils que tout le monde. Les gens se percent de partout se dessinent la peau pour être différents s'habillent en couleurs se font les cheveux différents, et au bout du compte, à force de vouloir être tellement différents tout le monde se ressemble. Il faudrait des policiers qui gèrent la majorité, qui nomment des gens qui sont obligés d'être pareils que les autres, comme ça les chanceux qui ne sont pas nommés peuvent être vraiment différents. Ils sauraient comment faire pour être différents, parce qu'ils sauraient d'avance ce que les autres font.

Barbabarara et moi on n'est pas percés pas dessinés, et on s'habille ordinaire, alors on détonne dans l'autobus. On a l'air des extra-terrestres dans les films d'extraterrestres. On veut pas. On veut être comme les gens.

– Tu devrais t'acheter une auto, que Barbabarara m'a dit comme un engrenage qui saute.

Elle a raison. Dans une auto on a l'air plus pareil que tout le monde, les gens derrière un volant ils sont moins percés moins dessinés que dans l'autobus, on le voit quand on regarde en bas par la fenêtre dans l'autobus. On ressemble aux gens dans les autos, nous. Pas aux gens dans l'autobus.

. . .

– Ha ha ha ha ha !

Barbabarara avait ri de moi à voix haute, des ha plein l'air qui sortait de ses poumons. Elle avait l'impression d'avoir gagné, parce que Romain n'était pas devenu mon ami. Moi j'étais triste, triste que ça n'ait pas fonctionné avec Romain, triste de ne pas savoir pour-quoi, triste aussi de voir Barbabarara rire de moi, parce qu'on est supposés s'épauler, s'aider, s'encourager. Mais je ne lui montrais pas que j'étais triste, parce que ça lui aurait fait de la peine de savoir qu'elle me faisait de la peine.

– Je vais la prendre argent, mon auto que je vais m'acheter, parce que toutes les autos sont argent, regarde.

120

Elle ne m'avait pas entendu, elle s'était éloignée vers l'avant de l'autobus. Elle parlait au chauffeur en pensant que c'était son ami parce qu'il lui avait dit bonjour quand on est entrés. J'ai eu peur qu'elle ait raison, mais je me suis retenu d'aller la rejoindre.

Pour détourner mes pensées, j'ai fixé le dos d'une fille qui allait descendre au même arrêt que moi. Elle avait un beau dos en dessous des bretelles de sa camisole comme toutes les autres camisoles de filles dans l'autobus. Et elle avait un tatouage entre les reins. Sur la peau entre les reins, pas sur les organes internes entre les reins.

Elle est descendue au même arrêt que moi, comme prévu. Elle a marché vers chez moi et moi je la suivais, et elle ne s'est pas arrêtée chez moi – heureusement –, elle a continué tout droit et moi je me suis arrêté chez moi, parce que plus loin il n'y a rien d'autre que le chez-moi des autres.

· · ·

Je n'ai pas d'émotion. C'est trop dur à gérer l'émotion. Je suis mathématique, il y a dans mon cerveau des conduits et des équations, et la vue des choses et des gens se calcule sur un grand tableau vert foncé. Je ne suis ni heureux ni malheureux, quand je pense à Romain je ne suis ni malheureux ni heureux, j'ai été un peu triste, beaucoup triste, mais je sais que je n'ai rien fait de mal, que je ne suis pas un problème, que je n'ai rien fait de croche de travers à l'envers. Je n'ai pas le droit d'être triste, il y en

121

aura d'autres, comme on dit, d'autres fruits de la patience. Une nouvelle saveur de crème glacée, fruits de la patience.

L'émotion c'est trop difficile à avoir. J'aime mieux laisser ça aux autres.

18

La nuit était chaude et j'ai dormi tout nu, avec des draps de sueur et rien de climatisé. Chaque heure je me suis levé pour boire un verre d'eau, même si je n'aime pas l'eau parce que ça ne goûte rien. Et je me suis recouché chaque fois, quelques dizaines de centimètres plus à gauche, pour éviter la flaque de jus de corps qui traînait, témoin de mon sommeil précédent.

Le matin j'ai pris trois ou quatre douches, et je suis sorti pour aller nulle part en particulier. Je n'avais pas de plan pas de guide pas de carte pas de destination. Mon seul but, ce matin-là, était de marcher sur le trottoir sans tomber en bas.

Les plans ont changé dès que j'ai mis mon premier pied sur le trottoir. D'abord, je suis passé tout droit et je suis tombé en bas. Ensuite, en remontant, j'ai vu, qui s'en allait plus loin, de dos toujours de dos, la même fille que la veille. J'ai reconnu sa camisole pareille que tout le monde et son tatouage pareil que tout le monde. Et ses cheveux qui avaient l'air de sentir bon. Et, surtout, sa démarche, ça ne trompait pas c'était elle, la démarche c'est très personnel, ça parle.

— Je ne suis pas pressée, c'est congé aujourd'hui, qu'elle disait, sa démarche. J'ai envie qu'on me regarde, mais ça me gêne. J'ai envie d'attirer les regards, mais qu'ils soient discrets, j'ai envie qu'on m'aborde et qu'on me dise que je suis belle, mais dans le creux de l'oreille.

Et moi je répondais.

— Si tu marches assez lentement, je vais te rattraper et te le dire dans le creux de l'oreille, tout doucement, pour te faire du bien. Je vais te regarder de loin, puis m'approcher lentement, t'admirer de dos. Je te comprends, je comprends ta gêne, je suis pareil.

Elle avait une démarche bipolaire, avec les deux pôles en même temps. Les pieds déprimés, mais le dos droit. Les pieds qui se traînent, mais la tête qui veut qu'on la regarde. La confiance dans le tronc, la peur dans les bras, fermés collés qui ne bougent pas.

— C'est pas grave, que je lui ai dit, c'est pas grave parce que plus le monde va te regarder plus ta confiance va grandir, plus le pôle platte va fondre et se répandre sur les autres, et toi tu n'en auras plus, tu vas juste avoir le bon pôle, celui qui te fait vibrer de l'intérieur et sourire du dos.

Elle souriait du dos.

Pour le monde extérieur sur leurs balcons et dans leurs voitures et sur leurs vélos, je me parlais tout seul, comme les fous dans les films.

Moi je savais que je lui parlais à elle. Je suis resté immobile quelques minutes, sur le même carré de ciment de trottoir, et il vibrait légèrement, le carré de ciment de trottoir. Il vibrait tout seul, sous mes pieds, et je me suis penché pour y mettre la main, pour sentir que ce n'était pas moi qui tremblais; ce n'était pas moi qui tremblais. C'était le trottoir, et j'ai pensé que c'était quelqu'un, quelqu'un pris dans le trottoir, pris dans le ciment. Quelqu'un qui respirait de plus en plus mal, qui manquait d'air dans le trottoir, depuis des années coulé dans le ciment du trottoir, dans ce carré-là juste devant chez moi. C'est un employé de la ville qui avait voulu se débarrasser de sa femme, la contenir et l'oublier. Oui, c'était une femme, ça vibrait féminin sous mes pieds et ma main, une femme qu'on avait coulée là vivante sans connaissance, qui s'était réveillée.

Le chien du gars qui promène son chien est venu me voir, m'a senti le visage en le mouillant de son museau, puis s'est mis à respirer le ciment, il sentait la dame lui aussi, c'était certainement ça, il sentait la respiration difficile de la dame qui se débattait dans le ciment de la ville.

Le chien est reparti, chercher de l'aide sans sa laisse comme à la télé, et son maître est passé, sans me regarder.

La vibration a cessé. Elle était morte. Sur un balcon un vieux monsieur sans chemise mais avec un ventre m'a apostrophé, en grognant comme un ours qu'on réveille avec un bâton pointu quand le printemps n'est pas encore arrivé.

— Es-tu correct, ti-gars?

— Euh. Moi oui, mais pas le trottoir. Il vibre à l'intérieur.

— C'est le train, ça. Ça fait quarante ans que ça brasse quand le train passe là-bas.

Ah. Le train. Pas une dame coulée.

J'ai fait comme si je savais, comme si je l'avais toujours su, comme si j'avais à attacher mon soulier. J'ai détaché mon soulier, l'ai rattaché, me suis levé et ai voulu marcher un peu, suivre la fille de dos et sa démarche bipolaire.

Elle n'était plus là, au loin nulle part.

19

Dans l'autobus avec Barbabarara, on regardait par la fenêtre comme des prisonniers dans un zoo, avec le battement de nos moteurs qui accélérait à chaque intersection, à chaque lumière verte, à chaque arrêt où la cloche ne sonnait pas – moins on arrêtait, plus on arriverait vite au magasin des vendeurs de chars usagés.

Barbabarara allait choisir une voiture, j'allais l'acheter, et ensemble on allait pouvoir rire des gens prisonniers dans le zoo de l'autobus, leur dire en pleine face à travers la vitre qu'on n'était plus avec eux, qu'on était du monde ordinaire, nous, avec une auto comme toutes les autres autos. Que les bizarres dans l'autobus étaient trop bizarres, que vous puez, vous sentez de partout et vous collez de partout, et nous quand on arrête on n'a pas à se tenir après un poteau dans l'auto pareille comme toutes les autres autos.

Moi mon seul critère, c'est qu'elle soit argent. Barbabarara son seul critère, c'est qu'elle soit ordinaire. On devrait trouver, là où on s'en va ils en ont des milliers, des millions peut-être, si on en croit les annonces à la radio et dans les journaux et sur les pancartes. Des milliards de voitures usagées avec des vendeurs qui sourient et la garantie que tous les chars sont inspectés – mais par qui?

Quand on est entrés dans le magasin des vendeurs de chars usagés, on s'est sentis importants. Ça sentait le char neuf – bizarre. C'était grandiose, les lumières éclairaient partout et fort, les reflets des carrosseries m'éblouissaient à répétition, je voyais mon reflet partout.

– Ils devraient appeler ça La Maison des miroirs.

– Oui.

Quand elle était pressée de ne pas perdre son temps, Barbabarara répondait oui, juste oui, sans élaborer, même si elle a toujours quelque chose de très long à dire. Mais là c'était trop grandiose, trop lumineux, trop réflectif, il fallait se laisser manger par tout ça sans perdre notre temps à l'écouter, elle, elle qui ne voulait même pas s'écouter elle-même. Elle m'a pris le coude et a tiré tellement vite que j'ai perdu pied et je suis tombé par terre.

Tout le monde s'est retourné vers nous et j'aurais voulu qu'il y ait une trappe dans le plancher pour disparaître, comme dans les films, et j'ai cherché une bibliothèque pour appuyer sur un faux livre et faire ouvrir la trappe, mais il n'y en avait pas alors j'ai tourné le miroir de l'auto la plus proche. Il ne s'est rien passé, mais les gens ont retourné leur regard vers là où il pointait avant que Barbabarara me neutralise comme à la lutte.

– Elle !

Elle était tout excitée, Barbabarara. Plus elle est excitée plus ses phrases sont courtes, et plus ses yeux bougent vite sous ses paupières. Là c'était entre moi et l'auto que son regard oscillait, ses yeux vibraient embrouillés tellement elle passait vite de moi à l'auto – une auto ordinaire et argent. En plein ce qu'on cherchait. Ça n'avait pas pris de temps à la trouver.

– Oui. On va l'acheter elle, c'est un bon choix. Elle passe inaperçue je l'avais même pas vue. Là-dedans tu pourras pas impossible qu'on se fasse voir, personne. Ça va être idéal quand on va être dedans pour rouler, la rue va être parfaite.

L'excitation. Ma bouche. La maladie qui refait surface quand les nerfs sont trop occupés à être énervés. Perte de contrôle, comme quand Clint Eastwood tire sur tout le monde parce qu'il est pas content, ou comme quand Bruce Willis saute dans les bras d'un inconnu parce qu'il est encore en vie plein de sang.

C'est frustrant, mais je n'avais pas le temps d'être frustré, il fallait que j'achète la voiture avant que quelqu'un d'autre l'achète à ma place et que, parmi les trilliards de voitures propres dans le magasin, il n'y en ait pas une qui fasse l'affaire. Elles sont toutes trop brillantes, que j'ai dit à Barbabarara, celle-ci est juste assez terne. Elle avait de la poussière sur la peinture, parce qu'ils réparaient un trou dans le plafond juste au-dessus, elle avait de la poussière blanchâtre sur l'argent de la carrosserie, et on ne la laverait pas.

On était tout excités, on restait immobiles à côté de l'auto pour faire peur aux gens qui voudraient s'en approcher, mais on n'était pas vraiment immobiles, on se balançait d'une jambe à l'autre en même temps, comme des nageurs synchronisés qui ont perdu leur piscine. C'étaient les nerfs dans nos jambes qui électrifiaient nos muscles, comme les machines électriques qu'on vend la nuit à la télé, qui donnent des beaux ventres plein de petits carrés de muscles en t'électrocutant à répétition, jus-qu'à ce que tu sois brûlé sans avoir fait d'exer-cice. On n'avait aucune maîtrise de nos gestes, et ce n'était pas grave, on comptait les secondes avant qu'un vendeur vienne me vendre l'auto de nos rêves. On s'imaginait déjà sur la grande rue, avec tout plein de piétons qui ne nous regardent pas, avec personne de différent autour, avec l'air climatisé en plus, c'était écrit en gros dans la vitre – j'espérais secrètement qu'ils effacent ça avant de nous la vendre.

– Quarante-huit, quarante-neuf, cin-quante, cinquante et un…

– C'est long.

Il suffisait de dire que c'était long, je crois. À cinquante-deux, Barbabarara m'a donné un coup de coude sur le coude, en bougeant la tête vers le lointain, d'où venait un homme en veston qui nous regardait droit dans les yeux de Barbabarara. Il était embrouillé parce que je tremblais, mais quand il s'est approché, il s'est clarifié, et tout a changé. Tous les plans, toute l'excitation, tout l'achat impulsif et instantané.

– Bonjour madame, bonjour monsieur. Est-ce qu'on vous vend une voiture aujourd'hui?

– Non, que j'ai dit sèchement.

Barbabarara s'est tournée vers moi, moitié-moitié surprise et agressive, plein de questions et de reproches dans le regard, un comment ça sur le bord des lèvres.

– Vous venez juste regarder pour l'instant? C'est parfait… Si vous avez des questions, mon nom est Joël, je suis là pour vous.

Je savais déjà son nom. Et il était aussi poli que dans mon souvenir. Je le connaissais. Il faisait la météo au poste de météo, pendant deux ans il a fait la météo à la télévision, alors je le connaissais bien. Je regardais la météo pour me détendre, à l'époque, ça ne me servait à rien, qu'il pleuve qu'il neige qu'il vente que les rayons UV soient violents, ça ne changeait rien à ma vie emmurée, mais ça me détendait. Le ton hypnotisant de la voix de ces gens qui répètent toujours la même chose, leur sourire calme et leurs bras qui montrent des nuages dessinés sur un écran derrière eux. Tout ça était doux à mes sens, alors je regardais la météo. Et j'aimais bien Joël, je le connaissais. C'était inespéré.

J'ai tout expliqué à Barbabarara, et elle a compris. Elle voulait une voiture, mais elle voulait mon bonheur davantage. Et elle commençait, tranquillement, à y croire, à croire que la patience et le temps pris étaient meilleurs pour les amis. Elle comprenait que je veuille prendre

131

mon temps avec Joël, parce que c'était une ouverture toute grande ouverte. Je saurais quoi lui dire, comment l'aborder, comment lui parler. C'était une longueur d'avance qui valait amplement qu'on passe quelques semaines de plus dans l'autobus. Qui valait amplement le risque que notre voiture soit vendue à quelqu'un qui n'apprécierait pas autant ses qualités – et je me suis mis à espérer qu'ils n'effacent pas les lettres dans la vitre.

L'excitation, c'est drôle. Pour le matériel, c'était incontrôlable. Pour le personnel, tout autre chose. Je m'étais tellement conditionné au cours des semaines précédentes à me contrôler l'émotion pour ne pas en avoir que dès l'instant où j'ai décidé que Joël serait mon ami, j'ai arrêté de trembler, et j'ai failli m'en aller sans même lui dire un mot, pour le laisser m'approcher. Mais je me suis rendu compte qu'il m'avait déjà approché, que j'avais déjà gagné cette étape. Il fallait maintenant que je sois nonchalant, que je contienne les vibrations dans mes os quand je voyais l'avenir, que je pense au présent et à la distance dont j'avais besoin pour mieux m'approcher de lui.

On a attendu à côté de l'auto, attendu qu'il revienne. C'est Barbabarara qui comptait, cette fois-ci, alors le temps semblait passer plus vite, parce que les minutes étaient plus longues. Et Barbabarara, maintenant qu'elle savait qu'on ne partirait pas de là avec une voiture, s'était calmée et dessinait des bonhommes-allumettes dans la poussière de notre voiture, tout en comptant. Ses bonshommes à elle ils ne portent

132

pas des arcs, ils portent des fleurs. C'est mou. C'est fille. J'ai ri, elle m'a trouvé méchant et elle a dessiné un gros fusil en souriant et je l'ai trouvée belle, avec son sourire et son doigt plein de poussière. Si j'avais eu la tête à ça je l'aurais complimentée, je lui aurais dit combien je tiens à elle, combien elle m'aide sans s'en rendre compte, combien sa présence me simplifie la vie, combien sa présence me détruit la solitude. Mais j'avais la tête ailleurs, et les yeux hagards du gars qui cherche et qui cherche et qui ne trouve pas, parmi les multilliards de chars, le monsieur vendeur au veston qui est là pour nous, c'est ce qu'il a dit. J'aurais préféré qu'il dise qu'il était là pour moi, mais ça viendra.

Rendu à onze, il est arrivé par-derrière de ma tête, sans que je le voie parce que moi mes yeux sont dans le devant de ma tête.

— Avez-vous trouvé quelque chose qui vous intéresse ?

Il regardait Barbabarara dans le chandail, mais elle lui a fait signe que c'était moi qui voulais lui parler, alors il m'a regardé dans le visage.

— Non, rien qui nous intéresse tout de suite. Mais j'ai des questions.

— Je suis là pour vous.

— Tu peux me tutoyer. Je voulais savoir… toi… euh… Il va faire beau cette semaine, non ?

— Il paraît, oui. Qu'est-ce que vous cherchez comme voiture ?

— Tu peux me tutoyer. Je cherche pas vraiment pour tout de suite, je magasine. C'est comme des vêtements, il faut regarder, savoir la grandeur de sa taille... Je m'excuse, je suis nerveux.

Je n'étais pas trop cohérent, mais au moins j'en étais conscient.

— Il faut pas être nerveux, monsieur. Ici tout est simple. On est là pour vous. Pour toi, je veux dire.

— C'est parce que... C'est pas tous les jours qu'on rencontre une vedette.

— Tu... Tu me reconnais ?

Il avait gagné un sourire majestueux, celui de la célébrité constatée.

— Oui. De la télé, la météo, tu es bon pour la météo.

— Merci !

Il était soudainement enthousiaste.

— J'ai été congédié du poste de météo, à cause des nouveaux boss. Ça ici, je fais ça temporairement. Je vais retourner à la télé un jour.

— J'espère. Tu es bon à la télé.

Je le flattais, mais je le pensais aussi. J'ai jeté un œil vers Barbabarara, et elle me souriait toute contente, parce qu'elle voyait bien que j'étais rendu avec trois ou quatre longueurs d'avance. Pour la première fois je la sentais sereine, je sentais du détachement chez elle, de la confiance. Elle continuait à dessiner dans la poussière, en souriant, en pensant à moi plus qu'à elle, et sur le coup je me suis senti coupable, mauvais grand frère qui ne s'occupe pas de sa petite sœur, mais Joël a ouvert la bouche et a tué la culpabilité, meurtrier météorologique.

— Fait que... Tu te cherches une voiture ?

134

– Oui. Ben, autre chose que l'autobus. Ici toutes vos voitures sont inspectées ?

– Oui monsieur.

– Par qui ?

– Par qui ? Ben… Par des mécaniciens.

– Ils sont où ?

– Tu veux les voir ? Pas de problème. Suis-moi. On n'a rien à cacher, nous.

Il nous a emmenés en arrière, par une porte vitrée pleine de doigts comme celle de Martin boucher, mais de l'autre côté il n'y avait pas de viande accrochée au plafond. Il y avait des autos accrochées au plancher. Et des mécaniciens sales qui jouaient avec les voitures. Ils les regardaient comme il faut, il y en avait même qui avaient des lunettes. C'était de l'inspection rigoureuse, ça paraissait.

Barbabarara s'est avancée près d'un mécanicien à lunettes qui regardait dans un moteur, pendant que moi je félicitais Joël pour la qualité de ses inspections et qu'il me parlait de la caméra, de combien il aimait ça, de combien ça lui manquait. Elle lui a demandé ce qu'il regardait, il a dit le moteur. Puis elle est revenue et on est partis.

Dans l'autobus, elle m'a demandé si je trouvais qu'il avait l'air gentil, le mécanicien, et j'ai dit oui sans m'écouter, parce que mes pensées étaient prises par la peur de perdre le contrôle. Tout avait trop bien été, Joël me parlait déjà comme à un ami, c'était trop vite.

• • •

J'ai attendu trois jours avant d'y retourner, pour me calmer, mais je ne m'étais pas calmé parce que les publicités étaient partout et en plus, il y a des autos partout dans la rue, alors je ne pouvais pas m'empêcher d'être débordant d'un enthousiasme affolant. Tout me faisait penser à Joël, les autos et la température, et les publicités. Je savais que c'était lui, l'ami que j'aurais, le vrai ami pour qui je serais un ami.

Barbabarara a insisté pour m'accompagner, et dès qu'on est entrés elle est partie de l'autre côté de la porte pleine de doigts. Moi j'ai fait semblant d'être intéressé par les voitures, et j'ai demandé à Joël de me montrer ce qu'il avait, et il m'a montré plein de voitures toutes pareilles, ça me plaisait, je constatais que si la mienne se faisait vendre je pourrais en acheter une autre tout aussi ordinaire. Il n'y aurait qu'à ajouter un peu de poussière.

...

Deux, trois semaines, chaque trois jours j'allais faire un tour, et Barbabarara m'accompagnait tout le temps, se cachait tout le temps derrière, avec son mécanicien avec qui elle ne parlait pas, c'est ce qu'elle me racontait, elle ne parlait pas et c'était parfait, elle sentait du progrès, de la confiance, quelque chose d'abstrait qui passait entre elle et l'autre. J'étais content pour elle, et content pour moi aussi, parce que chaque fois que j'entrais dans le magasin, Joël me souriait, il était content de me voir.

Jusqu'au jour où il a eu l'air un peu moins content, et là je me suis dit qu'il était temps de passer à une autre étape. J'ai acheté ma voiture, qui n'était pas vendue mais qui avait été lavée, je l'ai achetée pour montrer à Joël que c'était lui mon vendeur, que c'était en lui que j'avais confiance. Et je me disais que ça serait plus agréable de venir le voir en voiture qu'en autobus, et aussi que rendu là, après les échanges, les flatteries, les rires et les blagues d'animateur de météo, on avait beaucoup plus qu'une simple relation consommateur-commerçant, on avait une relation début d'ami-début d'ami. Je n'avais plus besoin de faire semblant de ne pas savoir quelle voiture acheter. Je l'ai achetée. Il était content, Joël, il m'a serré la main en me félicitant, comme si je venais de gagner un concours de poésie, comme si c'était un beau jour pour lui. Et je crois que c'est parce que c'était, pour lui aussi, la concrétisation de notre relation.

Ce jour-là, Barbabarara est restée plus longtemps que moi, elle est rentrée chez elle toute seule sans moi.

Moi je suis rentré en autobus, l'auto devait se faire préparer, moyennant quelques centaines de dollars. Je préfère payer et qu'elle soit prête. Sinon on ne sait pas ce qui peut arriver, elle pourrait tomber en pièces, refuser de démarrer, vomir son huile, partir sans moi, ne jamais me dire qu'elle m'aime, battre ma mère, fumer boire et sacrer, partir et ne plus jamais revenir.

Je la préfère prête et payée.

Quand il m'a donné la clé, Joël avait un air de rien qui m'a dérangé. Comme un aboutissement, alors que je croyais à un début.

— Si jamais il y a quoi que ce soit avec l'auto, tu as juste à aller au comptoir du service.

— Je… je peux pas venir te voir ?

— Moi je m'occupe pas du service. Moi ma job est faite, là.

— Mais…

— Ça a été long, mais on l'a finalement achetée, cette auto-là !

— Oui.

— Pis dans une couple d'années, si tu veux la changer, tu pourras revenir me voir.

— Mais…

— Sauf que je serai probablement plus là, dans une couple d'années. La télé m'attend…

— Oui. Je sais.

— Ça m'a fait plaisir !

— Mais…

• • •

J'avais mal.

Je suis monté dans ma voiture comme un robot, les yeux dans le vide, la grogne au cœur, et j'ai roulé jusqu'au fond du stationnement qu'il y avait là. Énorme stationnement.

J'ai garé l'auto et je suis sorti, et je me suis assis par terre, entre mon auto et une autre. J'avais le corps mou, la vie encore plus molle. J'ai pris ma tête dans mes mains et j'ai coulé des yeux, de l'eau plus que jamais, j'ai coulé des yeux pendant des heures, il me semble. J'avais mal, j'avais oublié ce que c'était avoir mal, la douleur de la déception, pas de la colère mais de la douleur, comme une lame qui glisse sous la peau trop lentement, ça te remonte jusqu'au cœur et ça bloque là, et ça découpe ta vie à chaque respiration.

20

Barbabarara, elle, avait un vrai ami. Il est allé souper chez elle, elle lui a fait des côtelettes de porc, et il avait encore ses lunettes, mais il était propre.

Ce n'est pas juste.

21

À la télévision les gens tristes préfèrent être tristes dans un bar, soûls écrasés mous devant un verre à vider, et un autre, et un autre.

J'ai fait comme eux, comme les gens à la télé, j'aurais voulu être dans la télé, parce que j'aurais su que j'allais bien finir, que tout serait bien qui finirait bien et que je vivrais heureux avec plein d'enfants. Là je n'étais sûr de rien, surtout pas de l'avenir ou de la fin, mais j'ai voulu me le faire croire, je suis entré dans la première brasserie que j'ai vue, c'était écrit Serveuses sexy dans la vitrine, avec les mêmes lettres blanches que Air climatisé dans le pare-brise de mon auto – ils ne l'avaient pas enlevé, finalement. Serveuses sexy, c'est arbitraire, j'ai trouvé la brasserie prétentieuse de dire ça, j'ai voulu juger par moi-même, triste au bar écrasé mou devant un verre à vider. J'étais dans ma tête, dans la télé et c'était parfait.

Je me suis soûlé pendant des heures inter-minables, pendant des semaines. Il y avait là une serveuse pas du tout sexy dans mes yeux à moi, mais gentille comme tout, elle me faisait oublier Barbabarara qui ne me répondait plus au téléphone parce qu'elle avait un mécanicien propre. Elle me servait des verres pleins, je les lui rendais vides, c'était l'essentiel de notre relation, et parfois elle me disait que je n'avais pas l'air de filer, et je lui disais que ce n'était pas de ses affaires.

Elle s'appelait Ma Pitoune, si j'en juge par les conversations qu'elle avait avec les autres buveurs. Elle avait trois ensembles de sous-vêtements, qu'elle portait en rotation – toujours dans le même ordre. Le bleu pâle après le rose, et le noir après le bleu pâle, et on recommence ! C'était tout un party dans cette brasserie, on changeait de couleur de sous-vêtements chaque jour.

Je mâchais mes mots à partir de 20 h. Avant ça, je les mélangeais. C'était décourageant. Alors je buvais plus.

• • •

Un mois, ça a duré.

• • •

Au bout d'un mois, Ma Pitoune m'a dit qu'elle m'aimait bien. Je suis sorti et ne suis jamais retourné. Je t'aime bien toi, ça sonnait trop comme un rapprochement amical. Et les amis, à ce moment-là, non. Je n'en voulais plus, ils étaient la déception, ils étaient la frustration, ils étaient absents et douloureux. Ils étaient l'émotion, et moi je n'en ai pas de ça.

— Mêle-toi de tes affaires.

C'est ce que je lui ai dit et je suis parti en titubant, en m'accrochant à deux tables, et en poussant la porte au lieu de la tirer. J'étais soûl et je suis rentré chez moi, où m'attendaient plusieurs contraventions sur mon auto, et plusieurs enveloppes dans mon trou de porte.

J'avais habité à la brasserie pendant un mois.

Je n'avais pas remarqué.

22

J'ai dormi avec un mal de tête et la douleur sous les tempes chaque fois qu'un camion passait dans le nid-de-poule qu'il y a devant chez moi depuis l'hiver.

Je ne suis pas une mauvaise personne. J'ai une carence de bonheur dans ma personne, c'est tout. J'ai le moral dans le magma, j'ai la vie qui s'en va, mais je ne suis pas une mauvaise personne.

J'essaie peut-être de me convaincre.

Peut-être que je suis une mauvaise personne.

Est-ce que je suis une mauvaise personne ?

Martin a hoché la tête pour dire non sans ouvrir sa bouche de boucher, il m'a fait penser à un ventriloque qui ne parle pas. Il me fait du bien. J'étais allé le voir d'abord pour lui dire de ne pas s'être inquiété, mais en le disant je me suis rendu compte que ça ne se disait pas.

— Il ne faut pas que tu te sois inquiété.

Tout croche. Mais il a souri gentiment, comme d'habitude, c'est un professionnel, il me fait du bien.

J'ai pris une séance de deux heures ce jour-là, il avait de la place, avec deux séances de coups de pied dans la viande, c'était pour faire sortir les restants d'alcool dans mon corps.

Je ne suis pas un alcoolique. Je n'aime même pas l'alcool, aucun alcool, ni la perte de contrôle, ni l'écrasement d'avoir trop bu. Je voulais juste être dans la télé. C'est tout, être dans la télé et pouvoir avoir une fin heureuse, être dans la télé et que ça se termine, qu'il y ait une fin, et que tout le monde se sente bien, comme dans ma télé, ma télé éteinte sans télécommande, je m'ennuie de ma télécommande.

Il a hoché la tête, Martin, pour faire oui cette fois.

Je ne boirai plus. Ça ne sert à rien, ça m'empêche d'être humain, ça m'empêche d'avoir des rayons de réalité tout autour. Je n'ai pas besoin de l'alcool pour être mélangé, pour être étourdi, pour marcher croche et me sentir de travers. Je vais me reprendre en main, je vais me revitaliser, comme une plante avec du pouche-pouche sur les feuilles, je vais exulter et être quelqu'un, si je suis quelqu'un je vais être l'ami de quelqu'un, je vais être un homme, énergique et allumé, je vais profiter du beau temps de la fin de l'été et vivre rayonnant, vrai et rayonnant.

Je ne vais pas abandonner. Je vais me trouver un ami, me bâtir un ami, grandir vers un ami, tout ce qu'il faut pour une relation, tout ce qu'il faut pour la grandeur de la plus grande amitié de l'histoire de ma vie de l'humanité et de l'univers. Grandiose. Je serai grandiose.

Martin m'a fait signe de ne pas trop en mettre, avec sa main. J'en ai profité pour la serrer et repartir. Il m'avait fait du bien, comme d'habitude, c'est un bon psy Martin boucher.

. . .

Il y a, quelque part dans le monde, dans un coin d'un quartier dans une ville dans un pays sur la planète, il y a une personne qui voudra être mon ami.

Il faut que cette personne-là existe.

Elle existe.

23

Il n'y a jamais de place pour me stationner devant chez moi. Je me retrouve toujours à me stationner devant chez quelqu'un d'autre.

En me stationnant devant chez quelqu'un d'autre ce jour-là, elle était là devant la porte de cet appartement pas chez moi. La fille de dos, qui déverrouillait sa porte, la fille à la démarche, mais là elle était immobile, mais je l'ai reconnue quand même. La fille de dos avec sa camisole et son tatouage, la fille de dos qui veut se faire susurrer à l'oreille qu'elle est désirable, la fille à la démarche maniaco-dépressive. La fille de dos.

J'ai klaxonné, mais elle ne s'est pas retournée.

24

J'aime les journées pluvieuses, parce que les enfants ne sortent pas dehors. Ils ne sortent pas pour me crier dans les oreilles à travers la moustiquaire dans la rue avec un ballon. J'aime les journées pluvieuses pour le silence des enfants. Pour le cloup cloup des gouttes qui s'effondrent sur le rebord de la fenêtre, qui meurent là dans une flaque de sang d'eau.

Un enfant ça crie, même quand il n'y a pas de quoi crier. Comme quand on monte le son de la télé petit à petit sans s'en rendre compte, parce que ce qu'on regarde est intéressant, et qu'on se lève pour pisser, et que, une fois loin de la télé, on se rend compte que le volume est à faire vibrer le miroir. Le miroir dans lequel on se regarde en se lavant les mains après avoir pissé. Les enfants sont comme ça. Ils commencent en parlant, finissent en criant. Et ils ne s'en rendent pas compte. Ils ne se lavent pas les mains après avoir pissé, c'est pour ça.

Il pleuvait sans enfant ce jour-là et c'était le matin. Je m'étais levé affamé, j'avais mangé, je m'étais habillé assoiffé, j'avais bu, j'étais sorti étourdi, j'avais mis la main sur la rampe trempée, tuant du coup plusieurs belles gouttes rondes en un filet de zigzags moins joli.

En essayant d'ouvrir mon parapluie, qui ne s'ouvre plus depuis des années (mais j'avais oublié), en me débattant comme Chaplin mais en couleur, j'ai transpercé l'œil du chien du gars qui promène son chien, qui s'était approché de moi pour m'aider. Avec la pointe pointue du parapluie, en secouant le petit bouton brisé et tout le reste. Le chien s'est mis à crier comme un enfant quand il fait beau, et moi j'essayais de m'excuser, mais il ne semblait pas m'entendre, et son maître non plus.

Quand j'ai levé les yeux vers le gars et que j'ai vu son désarroi, son impuissance, et la minuscule larme qui forçait fort pour éclore dans son œil, c'est la panique en moi qui a parlé.

Des fois, ce n'est pas nous qui parlons, c'est la panique. Une impulsion, un automatisme, des paroles qui ne sont pas passées par le cerveau, qui sont allées directement du fond des os jusqu'à la bouche, sans filtre sans jugement sans protection.

– C'est correct, je suis vétérinaire. Je vais m'en occuper.

Dans la panique, j'étais devenu vétérinaire, moi qui, autrefois, pitonnais sur un ordinateur et rien d'autre, avec deux doigts, de surcroît. Si tu avais vu le sourire dans sa face. L'amour d'un homme pour un animal m'étonnera toujours. Si un vieil homme sale et puant avait l'œil percé devant ce gars, il serait passé tout droit. C'est parce que le vieil homme ne lui appartient pas, et le chien lui appartient. Si son chien avait saigné sur mon auto, j'aurais été triste pour mon auto. C'est le même principe.

J'ai pris le chien dans mes bras, en le tenant bien loin de mon auto – pour une fois que j'avais du stationnement juste devant, la malchance – et de mon corps aussi, à bout de bras et hurlant, et lourd, très lourd. Je ne pouvais pas demander c'était quelle race, ça aurait été louche. Il se débattait, très fort, c'est de la race des chiens qui se débattent très fort quand on leur crève un œil.

Le gars, dans l'émotion du moment, avait oublié que c'était moi qui avais blessé son chien. Il me remerciait en me flattant l'épaule d'une main, son chien de l'autre. Bartók, qu'il gémissait, Bartók mon chien tu vas aller mieux, qu'il pleurait en nous flattant.

– Il joue du piano ? que j'ai demandé dans la panique sans filtre.

– Guérissez-le, docteur ! Il souffre !

Par réflexe, quand il a dit docteur, j'ai regardé derrière moi. C'est de moi qu'il parlait. Je lui ai dit de ne pas s'en faire, que tout irait bien, mais pas dans ces mots-là, et pas dans cet ordre-là. Il m'a cru quand même.

– Ma clinique c'est pas là, ici. J'ai rien chez moi mais je vais voir ce qu'on peut faire dedans.

Et on est entrés chez moi, et je dégoulinais de l'eau de pluie qui m'était tombée dessus sans m'avertir. Mon parapluie est non seulement dangereux, il ne s'ouvre pas.

Le chien hurlait toujours et se débattait dans mes bras et moi je voulais l'assommer pour le calmer, mais son maître suivait tous mes gestes, alors je me suis abstenu, à cause du doute dans son regard. Le chien lui-même a vu en moi le désir de le frapper et s'est calmé tout seul, c'est ma conclusion de vétérinaire. J'ai pu l'examiner. C'était bel et bien un chien.

Dans la panique – toujours la même, elle a duré – j'avais oublié que je savais tout des animaux et de leurs blessures. Après tout, j'avais suivi pendant quatre ans ce téléroman de vétérinaires et j'avais regardé souvent le canal des animaux, et aussi un peu celui sur la médecine humaine. Quand je m'en suis souvenu, tout s'est tranquillisé, et j'ai soigné le chien suffisamment bien pour que son maître fasse partie de ce tout qui s'est tranquillisé.

Il est parti chez lui sous ma recommandation, mais en disant qu'il reviendrait pour un suivi, et je n'ai pas eu le temps de lui dire qu'il serait mieux à une clinique vétérinaire que dans mon appartement non vétérinaire.

Je l'ai donc attendu. Je me suis assis sur la chaise qui avait passé l'été au milieu de ma chambre. Le combiné du téléphone touchait par terre depuis des mois, mais je l'ai regardé quand même, jusqu'à ce que ça sonne à la porte quelques jours plus tard. C'était Bartók qui marchait de ses propres yeux, sur ses pattes à lui et non dans celles de son maî-maître. J'ai retiré le pansement en feignant de ne pas avoir peur d'être dégoûté par la plaie. Ça avait l'air pas pire. Il ne verrait probablement jamais plus de cet œil, le pauvre Bartók, mais il n'y avait pas d'infection, ni trop de douleur, semblait-il, mais je n'en savais rien. J'ai dit à son maî-maître qu'avec juste un œil il allait avoir de la misère à prendre une cuillère dans ses mains, à cause de la perception de profondeur, mais que ça n'était pas grave parce que c'est rare qu'un chien ait besoin de prendre une cuillère.

Il a fait semblant de ne pas comprendre.

Au fond de mon for, j'étais fier. Vétérinaire, c'est peut-être ça que j'aurais dû faire, au lieu d'être gagnant à la loterie. J'aimais les animaux, et je les soignais avec toute la chance du monde. Et les gens étaient reconnaissants. En tout cas, Maî-maître l'était. Il me parlait de sa vie avec son chien, de son amour pour son chien, de la nourriture de son chien, et moi j'étais content de l'écouter même si ça ne me touchait pas du tout. Ça faisait si longtemps qu'il n'y avait pas eu quelqu'un chez moi.

Les moments les plus doux suivent les moments les plus durs. Parce qu'après le dur, il y a le doux qui semble toujours plus doux qu'en réalité. Si on s'était juste parlé sur le trottoir, si mon parapluie s'était ouvert, on n'aurait pas été amis, Maî-maître et moi. On se serait dit au revoir et c'est tout. Mais la crise nous a rapprochés, tout proches tout fragiles à cause du dur, et quand la crise s'est éteinte, on était déjà proches, alors aussi bien le rester. C'est le hasard, le destin, ces choses dont il est question dans l'horoscope des signes qu'on trouve sur les tasses. J'aime bien le destin quand il est de mon bord.

Il est revenu chez moi avec son chien quelques fois, chaque fois avec un plus grand sourire, chaque fois l'amitié entre nous croissait, c'était un bel épisode, très sain et très simple. Rien de compliqué, pas de questionnements, pas de jugements. C'était exactement ce que je cherchais depuis des mois, et je n'avais pas eu à forcer, ni pour me presser ni pour me dépresser, c'était arrivé comme ça, et c'était lui qui devait calculer la fréquence de nos conversations. C'était parfait.

• • •

Mais c'est toujours la même histoire, il faut croire, c'est toujours la même histoire déplaisante et destructrice, toujours la douleur qui pointe son couteau dans les moments les plus beaux, les plus profonds, les plus honnêtes.

J'avais eu, un jour en pleine conversation, une crampe de conscience. La culpabilité qui m'avait enveloppé pendant une fraction de seconde, et qui s'était dissipée, mais en laissant une odeur de goudron, qui reste et qui donne mal à la tête.

J'ai voulu être honnête, parce que des amis c'est honnête, parce que des amis ça s'avoue des secrets, ça dit la vérité, ça se comprend et ça se pardonne, quand il y a une erreur ça se pardonne.

Je lui ai dit que je n'étais pas vétérinaire.

Il ne l'a pas pris. Il a crié et a serré Bartók très très fort, tellement que le chien a poussé une note nouvelle, et s'est mis à m'engueuler, exactement comme les amis ne font pas. Et il a dit qu'on n'était pas des amis. Qu'on ne le serait jamais, parce qu'il savait à quel point ça me tenait à cœur, d'être son ami. Je m'y attendais presque, parce que je commence à comprendre que personne ne veut de moi pour vrai.

J'étais tout silencieux, impuissant, coupable de pas grand-chose, coupable quand même. Moi tout ce que je veux c'est un ami. Je ne veux pas faire mal aux gens. Je ne veux pas qu'ils me fassent mal. J'avais mal de tristesse. Mal de déception.

— Oui, mais ton chien va bien.

— Batteur de chien.

C'est la pire insulte qu'il avait trouvée.

«Pas d'ami» m'aurait touché davantage. Mais j'avais déjà mal autant que possible. Déjà mal plus la limite. Déjà mal trop plein.

Encore.

C'était trop, cette fois-ci. Trop de douleur pour rien, trop d'attente, trop d'attentes, trop de patience. Tout était trop, bâtir une amitié pour la détruire dès qu'elle existe, laisser l'autre venir à moi patiemment, plaire pendant des semaines, et plus rien, tout ça c'était trop.

Ça ne fonctionnait pas.

25

J'ai pris d'autres vacances. C'est l'avantage de ne rien faire, on peut prendre des vacances n'importe quand.

Je suis allé voir mon désespoir dans un miroir du magasin de Ventrilo, un vieux miroir qui me dit toujours que je suis beau, mais cette fois-ci j'étais laid, laid de l'intérieur et ça débordait de partout.

J'ai acheté deux films érotiques vietnamiens des années quatre-vingt à Ventrilo, et je me suis enfermé chez moi.

Mais je n'ai plus de télécommande. J'avais oublié, pendant quelques minutes j'avais oublié que c'était ce qui m'avait mené là, la télécommande perdue. J'ai cru que je pourrais les regarder, me changer les idées avec ces films érotiques vietnamiens des années quatre-vingt. Je me suis contenté de regarder les pochettes.

Et de réfléchir. C'est dangereux, réfléchir. Ça a tourné. Très vite ça a tourné, incontrôlable désespoir, badigeonné de douleur, ça a collé au fond et c'était fini. Je n'avais plus la moindre emprise sur moi.

C'étaient des vacances à vapeur, des vacances d'eau qui explose en mon extérieur. Tout explose. Le couvercle qui déborde et les morceaux de cerveau qui giclent partout sur le plancher. Je ne sais pas pourquoi, je ne comprendrai jamais pourquoi, j'ai versé dans l'à tout prix. Un ami à tout prix, tous les moyens sont bons, aux grands maux les grands remèdes, toutes ces insignifiances qui soudainement m'éclairaient un corridor vers la vérité.

Rien n'avait fonctionné, l'urgence vivante et la patience amorphe, tout ça n'avait été qu'échec, frustration et désespoir. Ça allait changer, pour de vrai, il le fallait. À tout prix.

• • •

Mais je ne sais pas comment ni pourquoi, de toute façon ce n'est plus moi qui agis, je suis une marionnette, on me brasse on me bouge et moi je ne fais que suivre, rien dans la volonté tout dans l'instinct. Animal.

Moi tout ce que je veux c'est un ami. Et je vais l'avoir. Coûte que coûte.

• • •

Et je regarde par la fenêtre, pour voir le moment et pour voir l'air qu'on respire, et je ne sais pas si c'est le destin, le destin qui joue avec moi, ou si j'imagine tout. Je regarde par la fenêtre, et elle monte dans un taxi. La fille de dos.

Il me la faut. À tout prix. Elle ou un autre. N'importe qui. Il me les faut tous. À tout prix. Je sors.

26

Les feuilles croustillent sous mes pieds. L'automne est arrivé vite, supersonique sans le moindre bruit, sauf celui des feuilles. Je marche en regardant mes pas, en essayant de maintenir toujours la même distance entre chacun, en essayant de ne pas tomber, je suis étourdi.

Mes articulations chantent faux, à chaque pas ça grince, ça crie, mes chevilles chevrotent, mes genoux sifflent, c'est l'automne qui me rentre dans le corps et qui rouille à l'intérieur.

Je cherche une cible. Direction vers là-bas, et là-bas c'est n'importe où, tu peux tourner sur toi-même pendant tout le temps que tu veux, et quand tu arrêtes c'est vers là que je vais. Je tourne en rond autour du bloc, je cherche toi, je tourne en rond autour de moi-même, je suis étourdi.

Il y a des nuages qui me surveillent, qui savent que je n'ai plus rien à moi, et encore moins à perdre. Ils bougent tranquillement sans bruit, m'espionnent mais je n'ai pas peur. Je peux tuer James Bond n'importe quand, je n'ai pas peur.

L'emprise emportée, ça déstabilise. Je vois un coin de rue, je veux m'y rendre, je veux m'y rendre tout droit sans détour, mais j'arrête avant et je fais demi-tour. Pourquoi il n'y a personne dans la rue aujourd'hui ? Dans ma tête il y a des détours et des nids-de-poule, et des œufs de poule et des plumes et des renards rusés qui mangent les poules et qui font la sieste pour digérer pendant que sur le trottoir, il ne passe rien.

Je veux juste quelqu'un, n'importe qui, une cible. Là. Une cible. Un gars maigrichon qui me ressemble mais qui sait où il s'en va, il marche vite mais, en courant, je peux le rattraper. Je cours. Je cours avec mes jambes mélangées et bruyantes, ça grince encore plus fort, mais je cours quand même, je m'approche de lui. Il se retourne et s'arrête, croyant que je veux qu'il me laisse passer. Non. Je ne veux pas qu'il me laisse passer, je veux qu'il soit là, avec moi, je veux qu'il soit mon ami. Tout de suite et sans même lui parler, je veux qu'il paye pour les autres qui m'ont fait croire qu'ils m'aimaient bien, les autres qui m'ont joué, déjoué, dévié. Les autres qui sont méchants qui sont cruels qui ne comprennent rien. Qui ne me comprennent pas, qui ne m'ont pas compris. Les autres.

Il est immobile maintenant, et il me regarde courir vers lui en se déplaçant pour me laisser passer, comme quand un policier court après un voleur, mais moi mon voleur est invisible, c'est l'homme invisible qui a volé de la marchandise invisible, c'est dur à retracer alors autant l'attraper tout de suite, sinon c'est peine perdue.

Moi ma peine n'est pas perdue, elle est bien présente, bien envahissante, bien enveloppante.

Je m'arrête sec devant lui. Je prends son poignet et ferme la menotte dessus. Je l'ai menotté à moi, avec les menottes que je venais d'acheter chez Ventrilo. Elles coûtaient plus qu'un dollar, mais elles ont valu la peine.

Moi ma peine elle ne vaut pas cher.

– Qu'est-ce que tu fais là ?

Il est pris. Il a beau tirer, fort, par coups, tirer comme un camion un autobus ma voiture un homme fort Louis Cyr, il ne peut rien faire d'autre que me traîner partout avec lui, des fois ça fait mal à mon poignet, mais jamais assez pour que je veuille m'en séparer.

Il me traîne pendant des carrés de trottoir, vers le parc, en respirant fort et en criant et moi je ris en gueulant qu'il est mon ami, qu'il n'a pas le choix, qu'il est mon ami. Il s'arrête enfin, cesse de tirer, il regarde son poignet tout rouge. Je crois qu'il comprend que tirer ne mène nulle part. Il respire encore fort, mais c'est pour reprendre son souffle, et moi aussi je dois reprendre mon souffle, parce qu'on a quand même couru pas mal, pas un marathon, ça c'est pour les athlètes, mais peut-être un cinq kilomètres amical pour une bonne cause, ça c'est pour les amis.

– T'es malade, toi ?

– À la clinique ils disent que non. À la clinique ils disent que tout est beau mais peut-être que tu as raison. Peut-être que c'est juste des charlatans, je pense que c'est des charlatans. Oui je suis malade. Mais pas pour la clinique, alors je suis pas malade.

— Qu'est-ce que tu me veux?

— Rien. T'es mon ami.

— Non, je suis pas ton ami! Je te connais pas. Détache-moi, là, c'est pas drôle.

Il regarde un peu partout, parce qu'il pense qu'il a honte et que tout le monde va le trouver bizarre, mais il a tort. Tout le monde il s'en fout, parce que tout le monde il a sa vie à vivre, et surtout tout le monde pense juste à soi. Moi je veux être tout le monde, et tout le monde a un ami. Moi aussi, j'ai un ami, je ne sais pas son nom ni son âge ni son plat préféré mais ça viendra, j'ai un ami et on va passer plein de temps ensemble, on va être inséparables.

On est inséparables.

— La clé est où? qu'il me demande en brassant nos bras comme si on faisait de la danse moderne.

La clé est ici. Mais je n'ai pas à lui dire, pas tout de suite, il va devoir gagner ma confiance avant, je suis un renard.

— Viens, on va faire une sieste.

Des amis ça fait des siestes, un dans le fauteuil un sur le sofa, après un bon repas, des amis ça joue au frisbee et ça parle de filles en se vantant. Je lui demande son nom, parce que quand je vais vouloir le présenter à Maman ou à Barbabarara il va falloir que je sache son nom. Je prends de l'avance. Il me répond qu'il s'appelle George Washington, en levant les yeux dans les airs et en faisant non de la tête. J'ai de la misère à y croire, mais vu que, pour gagner la confiance de quelqu'un, il faut lui faire confiance soi-même, je ne dis rien.

George tire encore un peu sur mon poignet, comme un spasme, comme une contraction, mais il est calme quand même, il sait que je ne lui ferai pas de mal, je ne suis pas une mauvaise personne.

— Martin me l'a dit.

— Quoi ? De quoi tu parles ? Détache-moi, c'est pas drôle du tout.

Il n'a pas un grand sens de l'humour, mais il a d'autres qualités, George. Il est grand. Pour l'instant, c'est ce que je sais. Et ça me fait penser que j'ai une ampoule à changer dans le salon, et que quand je monte sur la chaise je peux la changer mais vraiment vraiment à bout de bras, et si ça me prend trop de temps à trouver le trou pour visser, je commence à avoir mal aux épaules et je sacre.

J'invite George chez moi. La rue est encore vide et morte, et sur ses lèvres il y a un tremblement, mais je lui dis que c'est pour une ampoule et ça ne change rien, le tremblement est encore vif. Je tire et il ne bouge pas, alors je tire plus et il bouge.

Il marche lentement et en traînant les pieds, et en regardant partout. Il semble nerveux, j'essaie de le rassurer, mais il semble nerveux. Il bouge beaucoup trop, tire sur mon bras encore beaucoup trop. Puis il se résigne, on dirait, il se calme quand on entre chez moi. Je crois qu'il a compris que je n'étais pas dangereux, il a même souri en entrant. Je lui dis de ne pas regarder le bordel, même si c'est très propre chez moi, dans les films les gens font ça quand des inconnus entrent chez eux et que ce n'était pas prévu. On va chercher une ampoule dans le tiroir aux ampoules, et une chaise dans la cuisine, et il grimpe sur la chaise et moi je lève mon bras attaché au sien pour qu'il puisse monter. Il monte, retire l'ampoule existante et n'arrive pas à visser la nouvelle ampoule. Ça prend du temps. Le bras dans les airs, j'ai mal à l'épaule, alors je sacre.

Il visse enfin et redescend. On est heureux.

On doit manger, parce qu'il faut faire la sieste après. Je demande à George ce qu'il veut manger et il hausse les épaules en silence – je crois qu'il a lui aussi une maladie dans la bouche – alors je nous commande du poulet, mais pas des poitrines. Des filets panés, parce qu'avec nos poignets attachés, on est mieux de pouvoir manger à une seule main.

Quand le poulet arrive à la sonnette, j'ouvre la porte et par réflexe George déballe des phrases toutes faites au livreur, qui trouve ça drôle. Délivre-moi, qu'il dit au livreur. Ça nous fait rire, le livreur et moi.

On paye et on ferme la porte, avec notre main commune, et on va se régaler, je le sens, ça se sent à l'odeur. Quand on ouvre nos boîtes on se garroche sur les filets et les frites avec notre main libre, on trempe dans la sauce, on se bourre la face dans le bonheur pout pout pout. Même George a l'air moins haletant, plus affamé, c'est peut-être la fin d'une grève de la faim pour lui, je ne sais pas, mais ensuite je me

170

rends compte à quel point c'est niaiseux ce que je dis.

On a fini de manger, on laisse les boîtes traîner, ça fait nonchalant, ça fait à l'aise, ça fait comme si on était des amis depuis toujours et qu'on se fout de l'idée que l'autre a de nous. C'est pour ça qu'on laisse les boîtes traîner.

Je dis à George de s'installer dans le fauteuil, et moi je prends le sofa, et on s'endort. On est heureux.

27

Il y a des doigts de femme dans la fente de ma porte d'entrée. Ce sont ceux de la factrice. Je les tiens bien fort, même si elle tire fort de l'autre côté de la porte. Je les tiens fort fort fort et je tire pour qu'elle passe par la fente au complet, qu'elle entre chez moi en glissant comme le courrier qu'elle apportait ce matin. Une fois chez moi, la factrice sera mon amie.

C'est ce que je dis à George en lui demandant de m'aider à la tirer par les doigts. Il a les yeux gros ronds comme quelqu'un qui ne comprend pas, et moi j'essaie de lui expliquer, lui expliquer la douleur d'être seul, et qu'elle sera notre amie à nous deux, qu'on ne sera plus seuls, qu'on va être plusieurs, toujours plus, mais il ne répond pas. Et il ne tire pas non plus. Il est jaloux. Je suis certain qu'il est jaloux, qu'il veut être seul avec moi. Déjà hier, quand je lui ai parlé de Barbabarara entre deux filets de poulet saucés, il avait l'air perplexe.

Il ne veut pas d'autre ami. Je le comprends. Je suis prêt à faire ça pour lui.

Et en plus, la factrice commence à crier un peu fort.

Je lâche ses doigts, qui se retirent en vitesse comme la tête d'une tortue, mais j'ai quand même pu garder la bague de mariage qu'elle avait à l'annulaire. Ça me fait un otage, si jamais les choses tournent mal avec George.

Parce qu'on ne sait jamais.

28

C'est la panique.

Je me suis réveillé en déficit de George. Il est parti, a trouvé la clé – ici – pendant la nuit, nous a détachés, et est parti. Par la porte pendant la nuit, sur le bout des pieds, comme un cambrioleur mélangé, qui sort au lieu d'entrer.

Je ne peux pas l'avoir perdu. Il ne peut pas être loin. J'ai la menotte pendante, le regard éparpillé, et tout me semble sous un strobo-scope mais c'est parce que je cligne des yeux nerveusement et que je bouge trop vite pour qu'ils suivent. Je regarde tout autour dans mon chez-moi, pour comprendre, pour comprendre ce qui s'est passé. Mais ça ne ressemble pas à chez moi. Il manque des choses, plein de choses.

George m'a volé.

Ce n'est pas un cambrioleur d'extérieur. C'est un cambrioleur d'intérieur. Il a pris mes disques, il a pris mon ordinateur. Il a pris mon grille-pain. Il a pris mon alcool. Il a pris tout l'argent qu'il y avait dans la petite boîte que je lui ai montrée. Il a pris la bague de la factrice.

Moi je l'ai nourri, je l'ai logé, et c'est comme ça qu'il me remercie. Cambrioleur d'intérieur, créateur de vide, c'est mesquin. C'est désagréable.

Le bon côté, c'est que ça me dérange beaucoup moins qu'il soit parti. Un criminel, ça ne fait pas un bon ami.

Ça me rassure. Je vais mieux.

• • •

Le téléphone à cellules sonne. Je réponds.

– George?

– N-non, c… c-c'est Barbabarara. C-c'est qu… qui Geor-George?

– C'est personne. C'est un criminel cambrioleur d'intérieur. Qu'est-ce qui se passe?

Elle ne va pas du tout. Son mécanicien propre l'a abandonnée. Elle qui croyait avoir un ami. Lui voulait plus que de l'amitié. Plus, tu te rends compte? Il ne savait pas qu'elle était lesbienne. Et là elle pleure. Avec des larmes grosses comme ça.

Je ne sais pas comment la consoler.

– Viens, on va faire un tour d'auto.

J'avais oublié que son mécanicien avait un lien avec les autos. Elle pleure encore plus fort, c'est un cri continu comme une alarme de maison, ses voisins doivent s'inquiéter. Je lui dis d'oublier ça, que je m'excuse, mais elle dit que c'est peut-être une bonne idée parce qu'elle a chaud.

Je vais la chercher en brûlant quelques feux, mais c'est correct parce que je fais wou wou wou avec ma bouche pour que les gens sachent que c'est une urgence. Il y a une rivière salée devant chez elle. Je sors le canot, et je rame jusqu'à elle. Je la serre dans mes bras, mais ma compassion est trop forte et je lui donne un coup de pagaie. Ça la ramollit, elle cesse de pleurer. Elle monte dans le canot en se tenant la tête.

— Je vais avoir une prune, qu'elle dit pendant que je rame par en arrière.

. . .

J'ai des mouchoirs dans mon auto. Pour la morve qui dégoutte du quotidien, et pour les filles qui pleurent depuis des heures, les yeux rouges comme sur les photos. Elle se mouche mille fois, fois deux épaisseurs, ça fait deux mille. Et elle me demande pourquoi les menottes qui pendent à mon bras, et je lui explique, et elle adore le principe. Aujourd'hui, maintenant, à cette intersection-là, sous le regard de ces gens-là qui traversent devant nous, elle adore le principe. C'est son désarroi plein de larmes grosses comme ça qui parle. C'est son désarroi de fille trahie pas d'ami qui adore le principe.

Elle tombe dans l'à tout prix elle aussi.

— J'ai une idée, qu'elle dit.

Elle veut qu'avec l'auto je rentre dans des gens qui piétonnent l'asphalte, dans deux gens qui marchent, n'importe lesquels. Mais pas pour les tuer, non, juste pour les blesser. Comme ça on pourrait aller à l'hôpital avec eux et se sentir mal pour eux, et ils nous aimeraient, ils aimeraient notre sollicitude. Et en plus, ils ne pourraient pas se débarrasser de nous, ils seraient pris dans leur lit d'hôpital plein de bobos. On pourrait pousser leur chaise roulante, leur acheter des bonbons, leur lire des histoires. Chacun un blessé, chacun un ami, un nouvel ami qui n'a pas le choix, sinon il est tout seul et il souffre. Nous on apaise les souffrances, on est bons comme ça.

C'est une bonne idée.

Dans la voiture, la bonne humeur est revenue, on rit on applaudit on danse au son de la musique dans la radio, c'est un moment de bonheur léger, parce que c'est une bonne idée.

— Eux?

— Oui, eux!

C'est un homme et une femme qui traversent la rue en plein milieu, même pas sur la peinture pour piétons, en se tenant la main comme s'ils avaient peur de se perdre.

— Je te laisse la fille, que je dis à Barbabarara. Moi je prends le gars.

Et on les imagine sur leur lit d'hôpital, plâtrés attachés solutés, endoloris, morphinés, béatement heureux, et on leur raconterait des histoires et ils nous aimeraient. J'accélère, et ils nous entendent le moteur, et ils se dépêchent de traverser plus vite. Pour les avoir tous les deux, il faut que je dévie; je donne un coup de volant à la chaussée, et la voiture sacre des pneus, et ils courent vers le trottoir, et je donne un autre coup de volant vers l'autre côté, pour éviter les voitures stationnées.

On les a ratés.

Il faut en trouver deux autres.

Là.

Une dame préhistorique avec une marchette, et sa fille qui lui pousse dans le dos. C'est parfait. Il faut bien doser la vitesse, pour ne pas trop amocher la vieille, et amocher assez la jeune. On s'approche tranquillement d'eux, c'est plus discret. On les aligne à la perfection, comme dans les jeux vidéo. Quand on est à deux millimètres d'eux, Barbabarara se lance sur le volant et nous fait dévier de mille millions de degrés. J'arrive à peine à garder le contrôle de l'auto, c'est dangereux. Je la regarde avec mon air de pas content, mélangé à mon air de gars qui ne comprend pas.

– Il y avait un écureuil qui traversait la rue. On est pas pour tuer un écureuil !

Elle a raison. C'est gentil un écureuil.

Mais là, il faut trouver encore deux personnes. Ça commence à être compliqué, cette stratégie-là. Ça commence à être forçant pour les bras, tous ces efforts zigzagants. On roule un petit bout de temps, et on en trouve deux autres. Juste là, les vois-tu ?

Deux gars qui se tiennent par la taille. Un des deux a la main dans la poche arrière du pantalon de l'autre. Ça devrait aider à les blesser convenablement. Le poignet de l'un, la hanche de l'autre, les genoux des deux. Cette fois, je n'y vais pas avec le dos de la petite cuillère avec laquelle on va devoir les ramasser. Ils vont manger ma calandre dans les genoux, il n'y aura pas assez d'un mur lumineux pour afficher toutes leurs radiographies.

On est à deux pas de boum, ils n'ont rien vu, et dans un éclair de réflexion, je vois le drame à l'avance et je vois que je dois les éviter, eux aussi. Un autre coup de volant, un autre louvoiement. C'est que si on les avait frappés, on aurait passé pour des homophobes. Et nous, on n'est pas des homophobes, on veut juste des amis.

On commence à être découragés. C'est dur de frapper des gens avec une voiture. On se demande si on ne devrait pas prendre une pause, pour planifier notre affaire. Pas besoin de se le demander, un policier nous arrête, avec sa sirène et ses gyrophares.

On n'a rien fait de mal, c'est ce qu'on lui dit, mais lui il pense que je suis soûl, parce qu'il me voit zigzaguer depuis tantôt. Moi je n'ai rien bu, même pas un peu d'eau, mais il ne me croit pas.

Il me fait faire toutes sortes d'exercices comiques, marcher sur une ligne qui n'existe pas, toucher mon nez, dire l'alphabet à l'envers. Quand tu as passé quatre ans enfermé chez toi, ce sont des choses que tu maîtrises parfaitement. Il est impressionné, le policier, il me dit que pour un gars soûl, je suis bon. Je l'aime bien, le policier. Barbabarara l'aime moins, on dirait. Elle sort sa tête par la fenêtre de l'auto, et crie vers nous « p-p-police p-p-plein de p-p-pisse ». Elle a l'air soûle, mais elle elle a le droit, elle ne conduit pas, sauf quand elle donne des coups de volant à ma place.

— Qu'est-ce qu'elle a bu, elle? qu'il me demande, le policier un peu fâché.

— Sa peine, que je réponds fier de moi.

Puis je lui dis de la pardonner, qu'elle n'est pas une mauvaise personne, mais qu'elle passe par une mauvaise passe.

Il me demande de souffler dans une paille pendant trente secondes. Ça, je ne me suis jamais pratiqué à le faire, c'est dur pour les poumons. Moi d'habitude dans les pailles j'aspire. Au bout de trois essais, je réussis, mais le policier ne me dit pas ce que je gagne.

Il me dit juste que je peux y aller, mais qu'il me surveille et que je ferais mieux de rentrer chez moi. Il a raison. Je lui dis que je vais aller reconduire Barbabarara chez elle, et que je vais rentrer.

Et c'est ce que je fais. Parce que quand un policier te dit quelque chose, tu l'écoutes.

Nos amis à l'hôpital, on ira les voir demain.

29

Approche, mademoiselle.

Viens plus près que je t'entende.

Elle s'approche. Je l'entends. Elle s'appelle mademoiselle Gélinas, elle est toute jeune dans sa voix et dans son visage. Elle veut me parler, elle est gênée. On est devant chez moi, entre la porte et le trottoir, moi je sortais pour conduire, pour trouver des amis à frapper, et elle m'a interrompu l'élan, en s'approchant et en parlant. Au début je n'entendais pas, elle était trop loin. Là elle est proche.

Elle est l'amie de ma factrice, qui a décidé de ne pas parler aux policiers de ma prise d'otage, mais qui l'envoie elle, la mademoiselle Gélinas, pour négocier. Comme dans les films, mais en plus féminin.

Est-ce que je devrais lui demander un hélicoptère pour quitter le pays? Dis-moi, je lui demande ça?

Oui. Je lui demande. Elle sourit. Elle expire longtemps aussi, comme si elle était soulagée.

Elle n'est pas vraiment une négociatrice, c'est ce qu'elle me dit. Juste une amie de la factrice, et quand la factrice lui a raconté ce que j'avais fait, elle a voulu aider son amie, et elle a proposé de venir voir si je ne voudrais pas rendre la bague, au cas où. Parce que c'est pas loin de chez elle, qu'elle dit.

Je lui raconte que j'ai été cambriolé, qu'on m'a volé la bague, que j'aurais bien voulu la rendre, mais que je ne l'ai plus. Que je peux payer. Elle me trouve malchanceux, elle a l'air sincère. Je vais chercher l'argent qu'il me reste, l'argent que j'avais caché dans une autre boîte, une que je n'ai pas montrée à George, et je le donne à mademoiselle Gélinas. Elle sourit. Elle sourit tout le temps, chaque fois que j'ouvre la bouche. Mais elle, c'est différent des gens qui sourient juste avant de rire de moi. Elle c'est vrai.

Chaque minute je m'attends à ce qu'elle s'en aille, avec l'argent que je lui ai donné pour la bague, parce que sa mission est accomplie, mais elle reste. Elle est gentille avec moi. Je pensais qu'elle s'en irait, ils font tous ça, ils veulent tous quelque chose de moi et ils s'en vont quand ils l'ont, mais pas elle. Elle reste. Elle sourit. Elle me pose des questions et elle prend le temps de m'écouter. Elle a même mis sa main sur mon avant-bras.

Elle est gentille avec moi. Je lui raconte ma vie des derniers mois, dans le désordre le plus total, j'ai de la misère avec la chronologie des mots. Je lui explique la maladie de bouche, elle comprend. Elle me trouve intelligent, elle l'a dit,

« un peu mélangé », qu'elle a dit, mais « intelligent », c'est ce que j'ai retenu.

Elle dit qu'elle est contente que je sois comme je suis. Qu'elle est soulagée, que ça lui faisait peur de devoir venir me voir, qu'elle avait proposé ça sans réfléchir à la factrice son amie, parce qu'elle est trop gentille, mais qu'elle avait regretté. Qu'elle pensait que je serais un monstre. Un fou malade qui déchiquette des enfants, ou quelque chose comme ça. Elle avait peur que je lui fasse du mal, elle est très très soulagée, qu'elle dit. Elle voit bien que je ne suis pas un monstre. Au contraire, qu'elle dit.

Je lui dis que les monstres, ils sont dans le garde-robe. Elle rit. Elle me trouve drôle, qu'elle dit.

On est debout devant chez moi, et je commence à avoir mal aux pieds, mais je ne lui dis pas, je ne veux pas la distraire, je ne veux pas qu'elle pense que je veux qu'elle s'en aille. J'endure. Je me balance d'un pied à l'autre, ça rend la douleur alternative, comme le courant, mais immobile. Elle me parle et je n'écoute pas, quand elle me parle d'elle je n'écoute pas, j'ai de la misère à écouter parce que je réfléchis trop, à ce qui se passe, à ce qui se passe dans ma tête. Je pense qu'il faut que j'apprécie le moment, mais le fait de penser à ça m'empêche de l'apprécier.

Je ne comprends pas pourquoi elle reste là, mais c'est ce qu'elle fait.

Je pense à la prendre dans mes bras, la soulever – elle n'a pas l'air lourde –, l'emmener à l'intérieur et commander du poulet. Je pense à l'attacher avec la menotte qui pend toujours de mon bras – George est parti avec la clé. Je pense à lui annoncer qu'on est des amis. Je pense à abandonner tout de suite avant qu'elle me fasse mal. Tourner les talons qui me font mal et faire comme si elle n'existait pas.

Je ne fais rien. Elle existe. Elle est là devant moi et elle me parle, et elle me demande si j'ai vu le film avec les fantômes, et moi pour avoir l'air nonchalant je lui dis non. Je lui dis que moi, les films, tu sais…

On parle de tout et de tout, on laisse faire le rien, on parle de sa famille et de Maman, on parle de mon auto et de l'air climatisé, on parle des gens ordinaires.

Elle sourit.

Puis il fait noir. On a parlé toute la journée, toute la journée sans manger sans boire sans s'asseoir, et quand on voit qu'il fait noir, elle me donne son numéro de téléphone en me disant de l'appeler n'importe quand, et elle se retourne et s'en va.

Mes jambes ramollissent dès que je la vois de dos. C'est elle. La fille de dos. Elle était de face toute la journée, je ne l'avais pas reconnue. De dos c'est elle. J'ai les jambes molles.

Je me lance à l'intérieur et je l'appelle. Elle répond, essoufflée. Elle trouve ça drôle que c'est moi.

– J'avais mal aux pieds.

Elle rit.

– Moi aussi.

30

J'avais réglé mon réveil pour qu'il me réveille ce matin. Pour qu'il me réveille tôt pour que j'appelle Barbabarara pour lui raconter mon histoire d'hier pour lui parler de mademoiselle Gélinas.

Elle n'est pas contente, Barbabarara. Elle a passé la journée d'hier à regarder par la fenêtre en m'attendant, parce qu'on était supposés aller éclater des genoux. Tu aurais dû m'appeler, je lui dis, mais elle dit que le téléphone dans la voiture c'est dangereux, et tout le temps elle pensait que j'étais dans la voiture sur le point d'arriver. C'est pour ça qu'elle n'a pas appelé.

Je m'excuse. Et je lui raconte ma journée de la veille, debout et mal aux pieds, les paroles et le numéro de téléphone. J'ai le soleil dans la voix, et je fais semblant d'oublier qu'elle est fâchée parce que je sais qu'elle va l'oublier aussi.

Elle est enthousiaste, mais moins que moi. Ça lui fait peur, qu'elle dit, parce qu'elle me sent heureux, qu'elle dit, et être heureux c'est la meilleure façon de devenir malheureux. Elle dit que je n'apprends pas de mes erreurs ni des siennes, que j'y crois tout de suite comme j'y ai cru les mille autres fois, que j'ai eu mal les mille autres fois, que j'ai une pelle dans les mains et que je creuse, et que je creuse chaque jour plus profond.

Le bonheur c'est le malheur qui se déguise pour que tu le laisses entrer chez vous, qu'elle me dit.

· · ·

Mademoiselle Gélinas est Sagittaire. J'ai une tasse pour elle, je lui verse un café chaud dans sa tasse pour elle, elle sourit. Elle sourit tout le temps, c'est tellement apaisant. Même de dos, elle sourit, et moi je m'approche d'elle et je chuchote dans son oreille qu'elle a un beau sourire, même de dos, et elle sourit encore plus.

Elle a sonné timidement en appuyant sur la moitié de mon bouton de sonnette, ça a fait dri, sans le ng. Quand j'ai ouvert elle regardait par terre parce qu'elle était gênée de sonner chez moi sans avertir. Je lui ai dit que si elle m'avait averti j'aurais dit non et je m'en serais voulu pour toujours. Elle a souri. Elle doit avoir mal aux joues.

Elle a apporté la cassette du film de fantômes, elle veut qu'on le regarde ensemble. Je lui montre la télé éteinte, je lui rappelle que je n'ai pas de télécommande – je lui ai dit hier, elle a oublié. Elle a l'air déçue. Je lui dis que ce n'est pas grave, parce que vu qu'elle l'a déjà vu, le film, elle peut me le raconter et on va le jouer dans mon salon. Le reconstituer, moi je serai les personnages de gars – ou de fantômes masculins – et elle sera les autres – et les autres fantômes.

On déplace des meubles, on étend des draps sur les murs, on se fait un décor. Plus à gauche, dans le film c'est plus à gauche. Et ça c'est un peu plus ici.

On fait le film au complet. Elle dirige son comédien, et elle joue dedans en plus. Elle est multitalentueuse. Moi je suis unitalentueux, je ne fais que jouer. Et parfois je fredonne la trame sonore, même si je n'ai aucune idée de quoi que ce soit.

C'est un très mauvais film, au bout du compte. Les comédiens sont pourris, le rythme est atroce, les décors sont horribles. Mais on s'amuse comme des enfants, quand j'étais petit c'est comme ça que je m'amusais, tout le temps et beaucoup et sans arrêt et tout plein. Mademoiselle Gélinas aussi, c'est ce qu'elle dit et je la crois, elle a les joues toutes roses et elle sautille sans arrêt, et j'aurais envie d'une bataille de boules de neige avec elle mais il n'y a pas encore de neige dehors, et les glaçons dans le congélateur sont trop durs.

. . .

Ça ouvre l'appétit, le cinéma. On a faim. À côté des glaçons, il y a une pizza congelée. On décide de la dégeler, et tant qu'à y être, de la faire cuire. On se paye la traite. On se bourre la face.

C'est bon de la pizza congelée cuite. On se bourre la face et on va même jusqu'à manger les croûtes. On est épuisés, c'est fatigant manger aussi vite.

Mademoiselle Gélinas s'écrase dans le fauteuil et s'endort.

C'est comme ça les amis, ça dort dans le fauteuil. C'est comme ça que tu sais si tu as un ami. S'il dort dans le fauteuil chez toi, c'est ton ami.

J'ai une amie. C'est mon amie.

...

Je la regarde dormir, elle sourit même quand elle dort. Je ne pense pas avoir été aussi heureux depuis que j'ai gagné à la loterie. C'est ça, le bonheur, c'est regarder quelqu'un dormir dans ton fauteuil.

Et en pensant au bonheur, je pense à Barbabarara et à ses craintes. Je pense à ce qu'elle m'a dit, à la peur de creuser plus profond, à la douleur si je découvre que j'ai tort, à la douleur si je découvre que mademoiselle Gélinas n'est pas vraiment mon amie. Ça me donne des frissons, et il ne fait même pas froid.

Je ne veux pas la croire, Barbabarara, je ne veux pas qu'elle ait raison, je voudrais lui dire que mademoiselle Gélinas n'était pas déguisée quand elle est entrée chez moi. Je ne veux pas la croire, mais le doute qu'elle a planté sous ma peau comme une puce dans les films d'espions, le doute il grandit.

Je veux tuer le doute avant qu'il me tue. Dans les films, pour officialiser une belle amitié, ils se coupent l'intérieur de la main et se mélangent le sang. Frères de sang, qu'ils disent dans les films. Mademoiselle Gélinas et moi, on pourrait être frère et sœur de sang. Ça enlèverait le doute, Barbabarara ne pourrait plus douter, moi non plus, et personne ne pourrait remettre en question l'amitié, l'amitié toute forte et sanguine qu'il y a entre la fille de dos et moi.

Dans le tiroir à ampoules, j'ai un vieux couteau qui coupe beaucoup, dont je me sers pour couper n'importe quoi sauf de la nourriture. Ça devrait faire l'affaire.

Je commence par moi, une entaille dans ma paume. Ça ne fait pas si mal que ça, c'est surprenant, et le sang ne gicle pas autant que dans les films, mais il y en a, c'est parfait. Je prends la main de mademoiselle Gélinas, en faisant attention de ne pas la réveiller, elle a l'air si heureuse de son sommeil. Je fais la même coupure dans sa paume à elle, et j'ai le temps de mettre ma main sur la sienne avant qu'elle se réveille.

Quand elle se réveille elle ne sourit plus. Elle a les yeux gigantesques, elle essaie de comprendre ce qui se passe, elle voit sa main, elle voit la mienne, et elle se met à hurler.

– Le sida! Le sida! Tu vas me donner le sida!

Le sida? Où ça le sida? Elle ne sourit plus. Plus du tout. Elle gueule et elle crie, je ne comprends plus ce qu'elle dit, et moi j'essaie de lui expliquer que c'est pour officialiser notre

191

amitié, mais elle ne veut pas comprendre, elle hurle encore le sida le sida du plus profond de ses poumons, et elle s'en va en courant et en claquant la porte, en tenant sa main dans son autre main et en n'étant pas contente.

. . .

Qu'est-ce que j'ai fait là?

Dis-moi, qu'est-ce que j'ai fait?

J'ai le couteau dans une main, le sang dans l'autre, et je voudrais crier fort qu'elle ne peut pas partir, que maintenant que notre sang s'est mélangé on est amis pour toujours, mais elle n'est plus là, elle est déjà loin, et je ne suis pas dans un film, je le comprends maintenant, je ne suis pas dans un film, je ne suis pas une image projetée pour d'autres. Je ne suis rien pour d'autres.

Je ne fais jamais ce qu'il faut je les repousse ils ont tous peur de moi j'ai l'impression que c'est fini que tout est fini j'ai mal pourquoi j'ai mal qu'est-ce que j'ai fait?

Dis-moi, qu'est-ce que j'ai fait?

Qu'est-ce que j'ai fait là?

31

Finalement, c'est le tétanos qu'on a eu.

Au moins, on aura été frère et sœur de quelque chose.

· · ·

Je ne l'ai pas revue. Ni de dos ni de face. Elle ne répond pas au téléphone, encore tout de suite je l'appelle, et elle ne répond pas.

Mais moi tout ce que je veux c'est un ami, j'aurais aimé qu'elle le comprenne.

· · ·

Martin boucher semble découragé. Je le comprends, moi aussi si j'étais mon psy je serais découragé. Parce que j'ai le don de faire tout tout croche, parler bouger agir marcher conduire couper. Tout, tout croche.

J'ai envie de tuer tout le monde, tout le monde sur la planète, comme ça je n'aurai plus besoin d'avoir un ami, parce que ça ne se pourra plus. Quand tout le monde il sera mort, il n'y aura plus de tout le monde, plus personne avec qui me fondre, plus personne pour me regarder de travers, plus personne pour m'emmener haut et me pousser en bas.

Je vais tuer tout le monde, c'est ce que je dis à Martin, et tout de suite il me pointe la porte pleine de doigts, et il a raison, au lieu de tuer tout le monde je serais mieux de frapper sur des bœufs déjà morts.

Je frappe, je frappe avec mes souliers et mes poings je m'en fous si ça fait mal, je m'en fous si ça picote sur mes jointures, je m'en fous si je vois embrouillé, je frappe. Pendant deux heures je frappe, comme si c'était tout le monde, je frappe dedans tout le monde, il meurt, il meurt en souffrant ça fait du bien, il meurt sous mes semelles sales, il meurt sous mes poings saignants. Il meurt tout le monde.

Au bout de deux heures je vais mieux, je suis exténué mort moi-même, la fatigue ça calme. J'ai les muscles mous, le corps mou, l'esprit mou. Je vais mieux, ce n'est pas le bonheur encore, mais le malheur est dans le bœuf, je l'ai ancré dans le bœuf de toutes mes forces.

Je suis flasque de l'intérieur, nostalgique, triste un peu. Moi tout ce que je veux c'est te rencontrer, moi tout ce que je veux c'est te connaître, tu dois bien être quelque part, tu dois bien être quelque part. T'es où ?

• • •

Je n'ai plus d'énergie.

32

Les néons au-dessus des yogourts, ils donnent une lumière plus blanche que le soleil au-dessus des gens. Le contraste m'a frappé quand je me suis assis sur le bord du trottoir en face de l'épicerie pour manger mon yogourt avec des fraises au fond. En face des yogourts les gens ont l'air malades, sur le trottoir ils ont l'air en forme. Et ce n'est pas parce que seulement les gens malades magasinent du yogourt, j'ai vérifié.

Martin et moi on a parlé un peu, après les bœufs, de mademoiselle Gélinas, du sida, de mon insomnie, et de mes pensées sombres la nuit. Mes pensées de pas heureux que je traîne lourdement depuis des mois, mes petites violences qui grugent mon sourire depuis ma sortie et qui ont tout grugé autour jusqu'à ce que tout s'affaisse pour de bon dans mon visage. Mes questions pleines de points d'interrogation foncés et gros. Les t'es où, les tu fais quoi, les pourquoi t'es pas là, tous vous tous, pourquoi t'es pas là, t'es où. Mes pensées sombres pas de lumière, celles qui disparaissent en même temps que la lune, mais pas complètement. Elles restent toujours un peu, comme la lune qu'on voit le jour des fois, un rond blanc dans le ciel bleu. Quand j'étais petit je pensais que c'était le soleil qui n'avait plus d'essence.

Martin, comme d'habitude, a été génial, et je vais mieux, je crois. Je n'ai plus d'énergie du tout, ça veut dire que je n'ai plus d'énergie négative. Dans les yogourts il y a de l'énergie positive, ils le disent dans les annonces, alors j'ai pris un yogourt là où les gens ont l'air malades.

Il me manque toi. T'es où?

Je suis assis sur le bord du trottoir, les pieds dans la rue pas à un passage pour piétons, les mains derrière, il fait chaud. Je suis bien et il ne manque que toi, t'es où? Au restaurant?

Je vais au restaurant, pour souper. Il est un peu tôt mais je ne suis pas pressé, alors j'attendrai avant de commander, je dirai au serveur que j'attends quelqu'un, puis une heure plus tard je dirai ça a l'air qu'il est pas venu, je vais commander dans ce cas-là. Et peut-être que je te trouverai, t'es où?

En entrant c'est presque vide. Il y a deux vieilles personnes et deux jeunes personnes, et quelques autres dont j'ignore l'âge parce qu'ils sont de dos ou qu'ils ont trop de chirurgie plastique.

— Je vais être deux, parce qu'il y a quelqu'un qui va venir s'asseoir avec moi.

— Parfait. Suivez-moi.

— Où?

– Euh… À votre table…

– Oui, d'accord. Une table pour deux, s'il vous plaît. Parce qu'il va venir plus tard, bientôt, l'autre.

– Euh… Oui oui.

Les mots dans ma bouche, ils ne sortent toujours pas plus comme avant. Dans ma tête ils sont corrects. Dans ma tête toutes les phrases sont parfaites, et les idées sont claires. Mais quand je parle, ça sort de travers, ça ne s'améliore pas.

Je m'assois à ma table pour deux, à côté d'autres tables, pour deux et pour quatre, et plus loin il y a une table pour six. Je ne commande pas, j'attends que des gens arrivent autour, s'assoient autour.

Après quarante-cinq minutes, à une table pas loin, je vois l'assiette d'une dame pleine de classe et de soie, foulard dans le cou et ustensiles du bout des doigts. Dans l'assiette il y a un morceau de viande rouge avec du sang, ça a l'air bon, je veux commander, je fais un signe au serveur, mais il se fait attraper du bout des doigts par la dame en soie qui a l'air contrariée.

J'entends tout.

– Il y a une pierre sur ma viande.

– Une pierre ?

– Oui, une petite roche ici.

Et elle a pointé l'ici, juste sur le coin de sa viande, et le serveur a l'air malheureux, et il prend l'assiette en étant désolé, confus d'excuses. Moi je regarde mes souliers avec leurs grosses semelles, et je me lève, et je dis à la dame :

– Je m'excuse. Je m'excuse pour la pierre dans votre viande. Je vais faire attention la prochaine fois que je vais aller à l'épicerie.

Elle me regarde avec les gestes gris du mécontentement et le regard bleu du début de la peur, et moi je me sauve aux toilettes parce que je ne suis pas certain qu'elle me pardonne.

Il y a là, en train de pisser dans un urinoir blanc, un gars et je pense que c'est toi. Je ne sais pas pourquoi, mais je pense que c'est toi. C'est la faiblesse ou le désespoir, ou le destin ou l'espoir, mais je pense que c'est toi, que je t'ai trouvé. Les moments importants, je l'ai toujours cru, se produisent en des lieux innocents. Je m'installe au lavabo, pour t'attendre en y pensant, aux moments et aux lieux, à l'importance et à l'innocence. Quand tu rattaches ton pantalon, je racle ma gorge pour attirer ton attention. Dans le miroir tu es à l'envers, ton oreille gauche est à droite.

Je me souviens de ce qu'on dit aux toilettes dans les émissions, sur un ton sérieux, en inspirant la confiance et en expirant la bonne humeur.

– Belle soirée, han ?

Tu n'as pas dû m'entendre. Tu n'as pas bougé les lèvres, seulement les mains sous le robinet automatique qui coule tout seul quand on met les mains en dessous. Je fais pareil, pour avoir l'air de personne. Et je répète.

– Belle soirée, han ?

Mais cette fois-ci ma voix tremble un peu plus, parce que je sais que je ne pourrai pas répéter une troisième fois sans avoir l'air fou.

– Pardon?

Soupir de soulagement, tu m'as vu et entendu, c'est juste que tu ne m'as pas compris.

– J'ai dit qu'il faisait une belle soirée ce soir. Non?

– Euh… Oui oui…

– Je m'appelle Llouis, ça prend deux *l*, comme Lloyd ou Lleyton.

– Comme qui?

– Les Anglais. Ils prennent deux *l*, moi aussi. C'est pas de ma faute, c'est mon père. Toi?

– Euh… Moi quoi?

– C'est quoi que ton père t'a donné?

– Je… Hum… Je vais retourner manger, là.

Tu as fait deux pas vers la porte, mais j'ai mis ma main sur ton bras. Tu l'as repoussée rapidement, mais j'ai eu le temps de te dire autre chose, parce que les mots, jusque-là, n'allaient pas trop bien au sortir de ma bouche.

– Qu'est-ce que tu fais après?

– Euh… Je vais sortir des toilettes, là. Je suis pas intéressé.

Tu as l'air mal à l'aise.

Je reste dans la salle de bain, tu sors. C'est tout. Et le vide énorme qui est entré quand tu as poussé la porte a envahi tout mon corps par ma bouche, maudite bouche.

Je me suis assis par terre, les carreaux blancs et noirs sont froids, et je tremble de froid et de constater que tu n'es pas toi. Tu n'as pas compris, toi non plus, tu n'as pas compris. Je demeure là quelques minutes, immobile comme une bâtisse, affaibli. Le froid des carreaux me fait mal en dedans. J'aurais voulu que tu reviennes, pour te dire avec les bons mots, pas ceux qui sortent tout croches.

• • •

Moi tout ce que je veux c'est un ami.
Moi tout ce que j'ai c'est des blessures.

33

Les carreaux de la salle de bain du restaurant où tu n'es pas, ils sont froids. Glaciaux. Ils
me saisissent jusqu'au milieu des os, et je veux
disparaître. Disparaître maintenant, toujours,
ne plus réapparaître, jamais. Je fais comme si je
refermais un manteau sur mes épaules, avec
mes bras mais je n'ai pas de manteau.

C'est la fin de soirée la plus sombre. Je suis
seul encore, et cette fois-ci ça fait mal. Plus mal
qu'avant. Plus mal que la douleur. Plus mal que
la souffrance. Plus mal que les mots. Je pleure, je
ne contrôle plus rien et je pleure, pendant des
heures, sans larmes, juste des spasmes en boule.

Quand il n'y a plus rien en moi, plus de
spasmes plus d'énergie plus de muscles plus de
sang plus d'organes, je me rappelle que les gars
ne pleurent pas, dans les téléromans ils ne
pleurent pas, ils encaissent et consolent une
fille.

J'arrête de pleurer, et j'appelle Barbabarara
pour la consoler.

●●●

Elle répond en pleurant. Ça tombe bien.

J'essaie de la consoler, avec des mots, n'importe lesquels, des mots doux des mots tendres pour lui montrer que je suis là pour elle, que je l'aime bien, mais c'est justement ça qui la fait pleurer. Que j'existe. Qu'on s'aime bien. Qu'on se protège. Parce qu'en se protégeant on se détruit, qu'elle dit. Parce qu'en s'épaulant on se nuit, qu'elle dit.

Parce qu'en voulant s'aider, on se retrouve toujours à se faire pleurer.

Ça fait six mois qu'on se connaît. Et après six mois, on est encore seuls, et encore plus tristes qu'avant. Quand elle fait ce que je lui dis de faire, ça ne fonctionne pas. Et quand je fais ce qu'elle me dit de faire, ça ne fonctionne pas non plus.

On se nuit, qu'elle dit, on se nuit dans nos recherches. On se fait perdre du temps, on s'enlève des occasions en passant du temps ensemble. On s'oriente vers les mauvais endroits, on se conseille les mauvais conseils, qu'elle dit.

Sur le coup je ne suis pas d'accord, parce que ça me pince les artères d'entendre ça, sur le coup je dis non, parce que j'aime bien être avec elle, parce que j'aime bien l'aider, et j'aime bien qu'elle m'aide. Mais on ne s'aide pas, qu'elle dit.

Et plus j'y pense, plus je l'entends répéter la même chose, plus je crois qu'elle a raison. On se nuit.

Elle doit avoir raison, elle le répète tellement, elle y croit tellement.

Avec elle dans ma vie et moi dans la sienne, on ne se trouvera jamais d'amis. Elle doit avoir raison.

Elle a raison.

On sent le chagrin dans nos voix, on repousse, on repousse l'inévitable, on parle sans arrêt, on répète la même chose pendant des heures, pour ne pas dire la conclusion, parce qu'on sait c'est quoi, la conclusion. On ne veut pas, mais il faut, il faudra la dire, il faudra raccrocher. Et ne plus se rappeler, ne plus se croiser. Se perdre dans la grande ville et ne plus se croiser. Ce n'est pas une épopée collective, la quête d'un ami. C'est un voyage solitaire, on le voit maintenant, on le voit bien. Ça fait de la peine de le voir, on le voit embrouillé, mais on le voit.

Et on raccroche. Au bout de plusieurs heures on raccroche en se disant qu'on s'aime, et on sait que c'est la dernière fois qu'on entend l'autre.

. . .

C'est mieux comme ça.

Mais c'est vide comme ça.

34

C'est vide. J'ai besoin de plein. Meubler tout cet espace qu'il y a dans mon corps, qui résonne quand on frappe dessus, l'écho des années perdues à ne rien faire, l'écho des années perdues à tout perdre.

Martin boucher n'est pas là aujourd'hui. J'ai besoin d'aide, mais il n'est pas là. Je veux tout effacer, revenir en arrière, le présent est trop sombre, et devant moi tout est flou, le trottoir la rue les gens, il pleut du froid sur ma peau, et je ne me presse même pas pour me mettre à l'abri. Je marche croche étourdi perdu, vers n'importe où. Je ferme les yeux, mes pas iront où ils veulent bien, je ne contrôle plus rien, plus rien du tout, je ne sais même plus si je bouge. J'ai besoin d'aide, je le sais, mais je ne sais pas où aller, et même si je savais je ne pourrais pas y aller, parce que mes yeux sont collés, parce que mes jambes ne sont plus à moi, parce que ma tête a explosé en mille morceaux partout dans la rue, et les gens me pilent dessus, me piétinent, me broient, et ça ne fait pas mal, je suis du vide, ils piétinent le vide.

Je ne sais pas si j'avance, je ne sais pas si j'existe. Je veux m'oublier, oublier que je suis, disparaître vers l'avenir et réapparaître dans le passé.

. . .

Quand j'ouvre les yeux je suis au dépanneur, le dépanneur du coin, avec Gilles qui me demande si je vais bien, parce que je suis pâle et trempé.

Je n'ai plus rien.

Je n'ai plus rien.

Non, je ne vais pas bien.

. . .

Donne-moi un gratteux, Gilles. Donne-moi un Gagnant à vie, et je vais gratter comme si je venais de naître. Et peut-être que si je ne gagne pas, peut-être que si je perds, peut-être que si je gratte une meilleure chance la prochaine fois, c'est ce que je vais gagner. Une meilleure chance. Une prochaine fois.

Peut-être que si je perds, je vais revenir en arrière. Revenir en arrière, tout recommencer, vendre ma télé avant de perdre la télécommande, sortir chaque jour chaque nuit parler à tout le monde, avoir des amis des milliers d'amis, avoir des milliards d'amis. Peut-être que si je perds, je vais recommencer à exister. Peut-être que si je perds je vais me remplir.

Peut-être que si je perds je vais revivre dans le passé, et je vais pouvoir tout refaire. Ne pas travailler ne rien gagner mais être heureux.

• • •

Je veux une meilleure chance. Je veux une prochaine fois.

Cet ouvrage a été composé en Minion corps 12/14
et achevé d'imprimer sur les presses
de Quebecor World L'Éclaireur/Saint-Romuald, Canada,
en septembre 2006.